甘肃省

重点流域重要水体水生生物图集

GANSU SHENG
ZHONGDIAN LIUYU ZHONGYAO SHUITI
SHUISHENG SHENGWU TUJI

张亚群　周　静　丁杰萍 等 / 编著

中国环境出版集团 · 北京

图书在版编目（CIP）数据

甘肃省重点流域重要水体水生生物图集 / 张亚群等编著 . -- 北京 : 中国环境出版集团 , 2024. 10.
ISBN 978-7-5111-5976-2

Ⅰ . Q17-64
中国国家版本馆 CIP 数据核字第 2024MK9975 号

责任编辑 宋慧敏
文字编辑 邹世琪
装帧设计 岳　帅

出版发行 中国环境出版集团
（100062 北京市东城区广渠门内大街 16 号）
网　　址：http://www.cesp.com.cn
电子邮箱：bjgl@cesp.com.cn
联系电话：010-67112765（编辑管理部）
发行热线：010-67125803，010-67113405（传真）
印　刷 北京建宏印刷有限公司
经　销 各地新华书店
版　次 2024 年 10 月第 1 版
印　次 2024 年 10 月第 1 次印刷
开　本 787×1092 1/16
印　张 9.75
字　数 188 千字
定　价 68.00 元

前 言

Foreword

黄河是我国第二大河流，水生生物资源丰富，同时孕育了诸多特有的水生生物物种。据不完全统计，黄河流域有鱼类 130 种、底栖动物 38 种（属）、水生植物 40 余种，浮游生物 333 种（属），其中秦岭细鳞鲑、水獭、大鲵等被列入《国家重点保护野生动物名录》。

准确鉴定水生生物物种是开展水生生物资源调查和生物多样性评估的前提和基础。然而，迄今为止尚未有关于黄河流域上游重要水体水生生物图谱的系统材料，现有的水生生物调查和鉴定工作主要借鉴和参考了水生生物分类学示意图以及其他流域水生生物的图谱，这为开展黄河流域水生生物资源调查、准确鉴定和生物多样性评估带来了较大困难，也不利于落实《中华人民共和国黄河保护法》第三十九条的要求：国务院生态环境主管部门和黄河流域县级以上地方人民政府组织开展黄河流域生物多样性保护管理，定期评估生物受威胁状况以及生物多样性恢复成效。

甘肃省环境科学设计研究院于 2022 年组织开展了甘肃省黄河流域上游重要水体水生生物调查工作，通过现场工作时拍照和固定，并在实验室进一步鉴定后，编辑整理了黄河上游干流和支流（甘肃段）常见水生生物实物图谱，包括浮游植物 89 种、浮游动物 39 种和鱼类 50 种，汇编整理成册，为后续开展黄河流域水生态监测和水生生物多样性评估提供有益参考，也为相关领域开展水生生物鉴定工作提供帮助。

由于编著者能力有限，并且整理汇编时间仓促，书中难免有误，恳请各界专家学者指正，我们会及时修订改进，为加强黄河流域水生生物保护提供科学参考。

目　录

Contents

金藻门 Chrysophyta

隐藻门 Cryptophyta

甲藻门 Dinophyta

裸藻门 Euglenophyta

绿藻门 Chlorophyta

第二章 浮游动物 /069

原生动物 Protozoa

轮虫 Rotifera

枝角类 Cladocera

桡足类 Cepepoda

第三章 鱼类 /099

鲤形目 Cypriniformes

Chapter 1
Phytoplankton

第一章

浮游植物

蓝藻门 Cyanophyta

1. 惠氏微囊藻 *Microcystis wesenbergii* Komárek

分类 蓝藻纲 Cyanophyceae 色球藻目 Chroococcales

微囊藻科 Microcystaceae 微囊藻属 *Microcystis*

形态特征 自由漂浮。群体形态变化最多，有球形、椭圆形、卵形、肾形、圆筒状、叶瓣状或不规则形；常通过胶被串联成树枝状或网状，集合成更大的群体，为肉眼可见。群体胶被明显，边界明确，无色透亮，坚固不易溶解，分层且有明显折光。胶被离细胞边缘远，距离 5 ～ 10 μm。群体内细胞较少，细胞一般沿胶被单层随机排列，形成中空的群体。细胞较少密集排列，但有时细胞排列很整齐、有规律，有时也充满整个胶被。细胞较大，球形或近球形；直径 4.8 ～ 9.1 μm，平均为（6.7 ± 0.66）μm。原生质体深蓝绿色或深褐色，有气囊。

生境分布 常见于淡水富营养化水体，可成为水华优势种群。

标本采集地 黄河干流刘家峡水库。

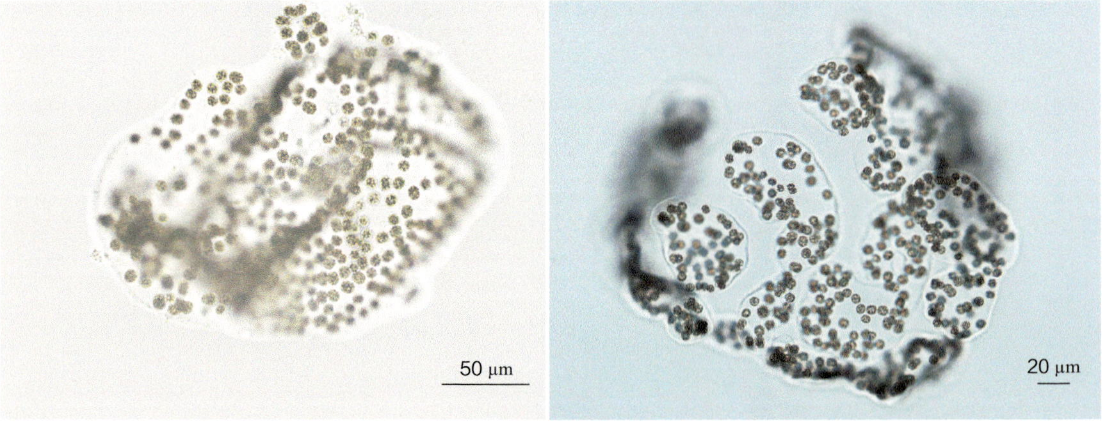

惠氏微囊藻

2. 水华微囊藻 *Microcystis flos-aquae*（Wittr.）Kirchn.

分类 蓝藻纲 Cyanophyceae 色球藻目 Chroococcales

微囊藻科 Microcystaceae 微囊藻属 *Microcystis*

形态特征 植物团块黑绿色或碧绿色，由许多群体集合而成，为肉眼可见，是各种水体中常见的浮游性蓝藻类，群体球形，椭圆形或不规则形，成熟的群体不穿孔、不开裂，群体胶被均匀，但不十分明显；细胞球形，直径 3 ～ 7 μm，密集；原生质体蓝绿色，有或无气囊。

生境分布 普生性浮游种类，常见于淡水富营养化水体，可成为水华优势种群。

标本采集地 黄河干流。

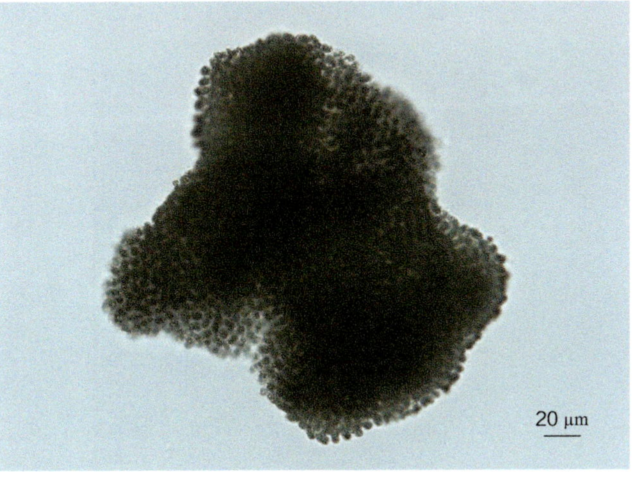

水华微囊藻

3. 铜绿微囊藻 *Microcystis aeruginosa* Kütz.

分类 蓝藻纲 Cyanophyceae 色球藻目 Chroococcales

微囊藻科 Microcystaceae 微囊藻属 *Microcystis*

形态特征 植物体团块大型，肉眼可见，橄榄绿色或污绿色，幼时球形、椭圆形，中实；成熟后为中空的囊状体，随着群体的不断增长，胶被的某些区域破裂或穿孔，使群体呈窗格状的囊状体或不规则的裂片状的网状体；群体最后破裂成不规则、大小不一的裂片；

此裂片又可成为一个窗格状群体；群体胶被质地均匀，无层理，透明无色，明显，但边缘部高度水化；细胞球形，近球形，直径 3 ～ 7 μm；群体中细胞分布均匀又密贴；原生质体灰绿色、蓝绿色、亮绿色、灰褐色，多数具气囊。

生境分布　多生长于静水水体中，春季及夏季在淡水富营养化水体中，常常形成水华。

标本采集地　天水渭河。

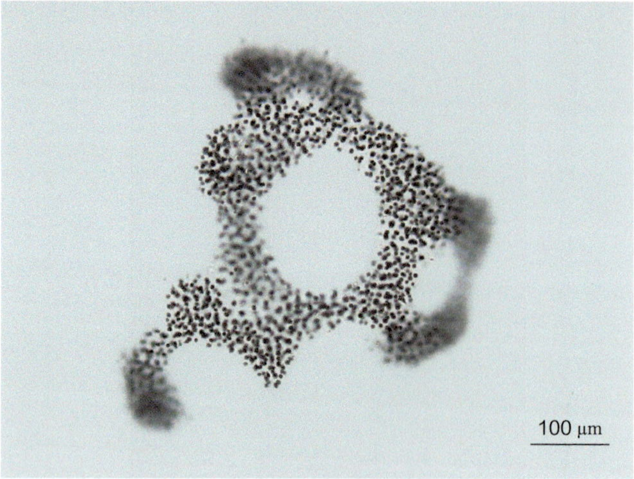

铜绿微囊藻

4. 微小色球藻 *Chroococcus minutus*（Kütz.）Näg.

分类　蓝藻纲 Cyanophyceae　色球藻目 Chroococcales

微囊藻科 Microcystaceae　色球藻属 *Chroococcus*

形态特征　群体由 2 ～ 4 个细胞组成圆球形或长圆形胶质体，胶被透明无色，不分层；群体中部往往收缢；细胞球形、亚球形，直径（3 ～）7 ～ 10 μm，包括胶被 7 ～ 15 μm；原生质体均匀或具少数颗粒。

生境分布　多生长于静水水体中，春季及夏季在淡水富营养化水体中常见。

标本采集地　黄河干流。

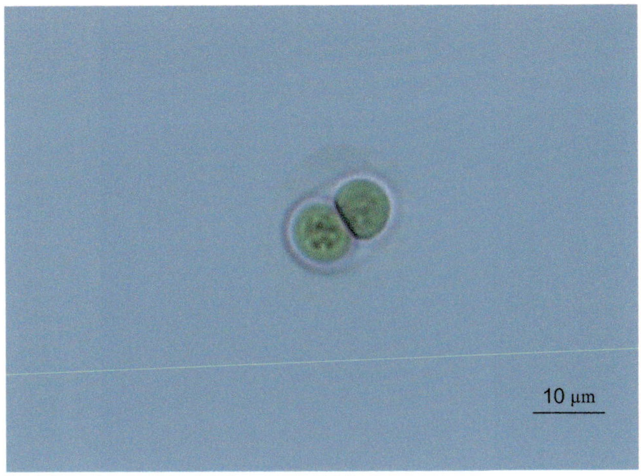

微小色球藻

5. 小形色球藻 *Chroococcus minor*（Kütz.）Näg.

分类　蓝藻纲 Cyanophyceae　色球藻目 Chroococcales

微囊藻科 Microcystaceae　色球藻属 *Chroococcus*

形态特征　植物团块由无数小群体组成黏滑胶质体，蓝绿色；细胞很小，直径为 3 ～ 4（～ 7）μm，包括胶被则达 10 ～ 12.5 μm，通常由 2 ～ 4 个细胞组成小群体；胶被无色透明，而多少溶化，原生质体均匀，蓝绿色或橄榄绿色。

生境分布　多生长于静水水体中，春季及夏季在淡水富营养化水体中常见。

标本采集地　黄河干流。

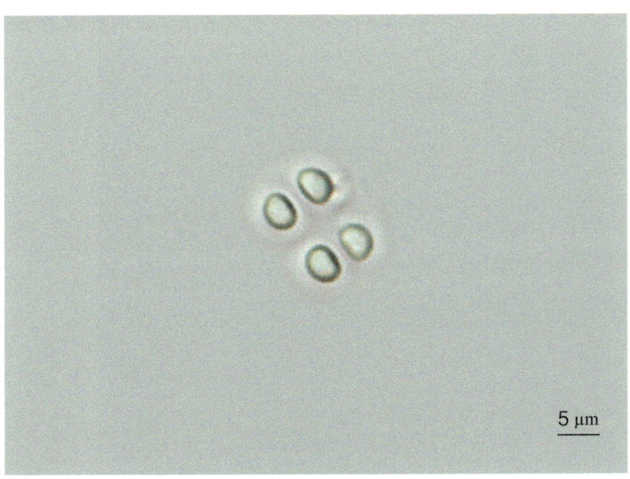

小形色球藻

6. 点形平裂藻 *Merismopedia punctate* Meyen.

分类 蓝藻纲 Cyanophyceae 色球藻目 Chroococcales

微囊藻科 Microcystaceae 平裂藻属（裂面藻属）*Merismopedia*

形态特征 群体微小，一般由 8 ～ 16 ～ 32 ～ 64 个细胞组成，群体中的细胞密贴或稀松，但都排列成十分整齐的行列；细胞球形、宽卵形或半球形，直径 2.3 ～ 3.5 μm；原生质体均匀，淡蓝绿色或蓝绿色。

生境分布 多生长于静水水体中，在淡水富营养化水体中常见。

标本采集地 黄河干流。

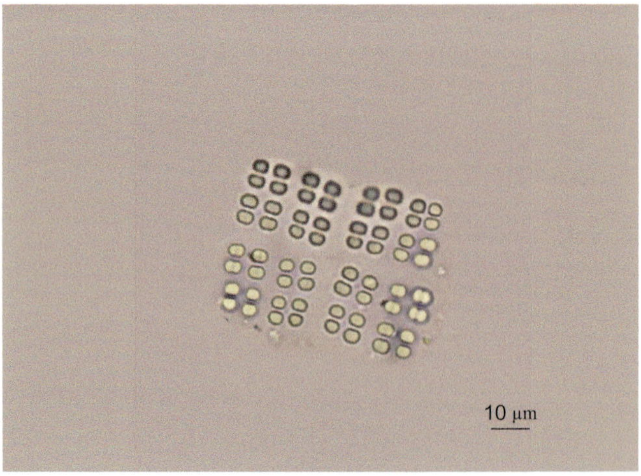

点形平裂藻

7. 优美平裂藻 *Merismopedia elegans* A. Bra.

分类 蓝藻纲 Cyanophyceae 色球藻目 Chroococcales

微囊藻科 Microcystaceae 平裂藻属（裂面藻属）*Merismopedia*

形态特征 植物体有大有小，小的仅由 16 个细胞组成，大的由数百个以至数千个（4 500 个）以上的细胞组成，宽达数厘米。细胞椭圆形排列紧密，宽 4 ～ 7 μm，长 7 ～ 9 μm，内含物均匀，呈鲜艳的蓝绿色。

生境分布 多生长于静水水体中，在淡水肥沃的水体中常见。

标本采集地 天水渭河。

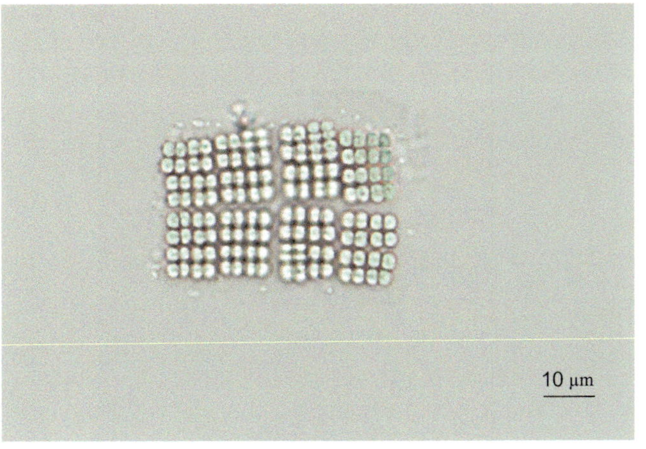

优美平裂藻

8. 泥泞颤藻 *Oscillatoria limosa* Agar.

分类 蓝藻纲 Cyanophyceae 色球藻目 Chroococcales

微囊藻科 Microcystaceae 颤藻属 *Oscillatoria*

形态特征 植物体为深蓝色或棕黄色（老时）的膜状物。藻丝很少单独存在，稀少时亦彼此绕成松散的团块。藻丝直，末端不明显地变细；顶细胞圆锥形，外有1层加厚的膜，但无明显的帽状体。细胞宽 11 ～ 20 μm，长 2 ～ 5 μm。细胞横壁不收缢，两侧具颗粒。

生境分布 常见于静水或流速慢的湖泊、池塘边缘，在咸水中可大量出现，并形成水华，是污水性藻类。

标本采集地 白龙江碧口水库。

泥泞颤藻

9. 美丽颤藻 *Oscillatoria formosa* Bory.

分类 蓝藻纲 Cyanophyceae 色球藻目 Chroococcales

微囊藻科 Microcystaceae 颤藻属 *Oscillatoria*

形态特征 植物体暗蓝绿色。藻丝直，横壁略收缢，宽 4 ~ 6 μm，亮蓝绿色，末端渐尖细并弯曲。细胞近方形，宽大于长，长 2.5 ~ 5 μm，横壁处略具颗粒；末端细胞钝圆锥形，无帽状体，不呈头状。

生境分布 分布于淡水湖泊。

标本采集地 白龙江碧口水库。

美丽颤藻

10. 小席藻 *Phormidium tenue*（Menegh.） Gom.

分类 蓝藻纲 Cyanophyceae 色球藻目 Chroococcales

微囊藻科 Microcystaceae 席藻属 *Phormidium*

形态特征 植物体膜状鲜蓝绿色。鞘薄，胶化不明显。藻丝直或略弯曲，横壁略收缢，末端渐尖，宽 1 ~ 2 μm。细胞长为宽的 3 倍，长 2.5 ~ 5 μm，横壁两侧不具颗粒，顶端细胞长圆锥形或钝锥形，不具帽状体。

生境分布 分布于温泉，池塘，河流，矿区塌陷水塘，湖泊，潮湿墙壁、岩壁及地表。

标本采集地 白龙江碧口水库。

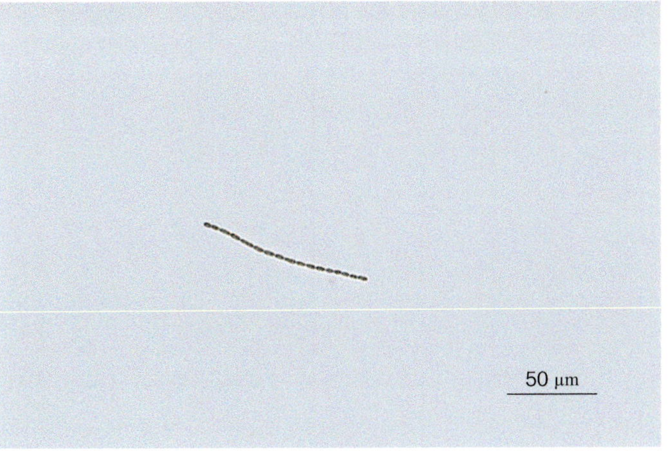

小席藻

11. 螺旋藻属未定种 *Spirulina* sp.

分类 蓝藻纲 Cyanophyceae 色球藻目 Chroococcales

微囊藻科 Microcystaceae 螺旋藻属 *Spirulina*

形态特征 藻丝粗细一致，两端不渐尖细，顶部多宽圆，无顶冠，藻丝体外无胶质衣鞘，藻丝呈螺旋状弯曲；藻丝内不能清晰见到是否有横壁。

生境分布 生活于各种水体。

样本采集地 黄河干流。

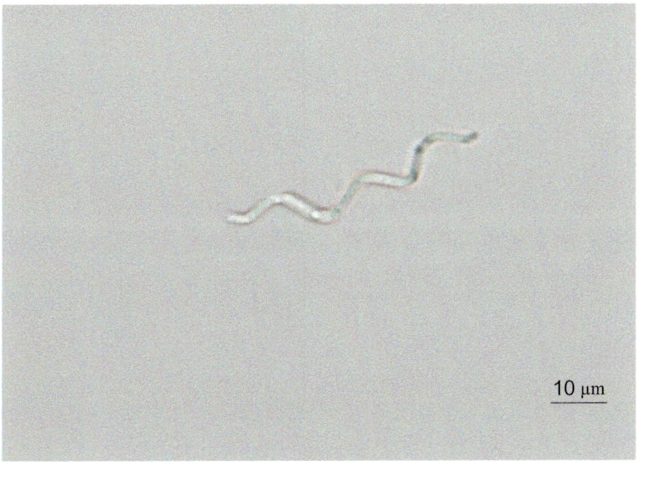

螺旋藻属未定种

硅藻门 Bacillariophyta

12. 变异直链藻 *Melosira varians* Agar.

分类　中心纲 Centricae　圆筛藻目 Coscinodiscales

圆筛藻科 Coscinodiscaceae　直链藻属 *Melosira*

形态特征　群体链状，细胞彼此紧密连接。群体细胞圆柱形，壳盘面平，盘缘向下弯曲，具极细的齿，壳套面环状，壳壁略薄而均匀，假环沟狭窄，无环沟和颈部，内外壳套线平行。仅在分辨率高的显微镜下能够观察到外壁具极细的点纹。细胞直径 7 ～ 35 μm，高 4.5 ～ 14（～ 27）μm。

生境分布　常见于小型浅水水体中，多生长于沿岸带，为偶然性浮游种类。

标本采集地　白龙江碧口水库 [图（a）]、白龙江关头坝 [图（b）]。

（a）

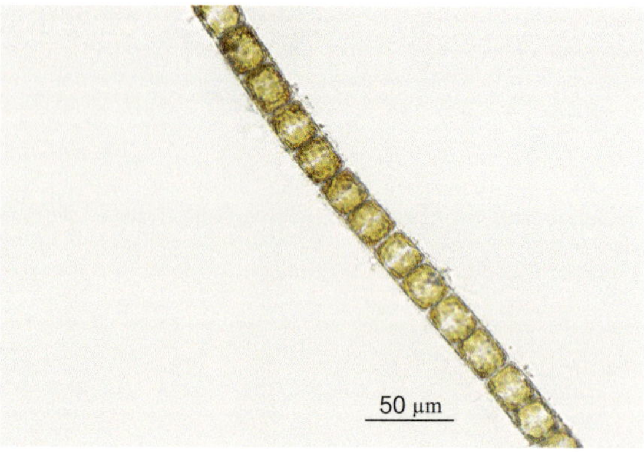

（b）

变异直链藻

13. 颗粒直链藻 *Melosira granulata*（Ehr.） Ralfs

分类　中心纲 Centricae　圆筛藻目 Coscinodiscales

圆筛藻科 Coscinodiscaceae　直链藻属　*Melosira*

形态特征　群体长链状，细胞以壳盘缘刺彼此紧密连接。群体细胞圆柱形；壳盘面平，具散生的圆点纹；壳盘缘除两端细胞具不规则的长刺外，其他细胞具小短刺；点纹形状不规则，常呈方形或圆形。端细胞为纵向平行排列，其他细胞均为斜向螺旋状排列，点纹多型，为粗点纹、粗细点纹、细点纹。壳套面发达，壳壁厚，环沟和假环沟呈“V”形。点纹在 10 μm 内 8 ～ 15 条，每条具 8 ～ 12 个点纹。细胞直径 4.5 ～ 21 μm，高 5 ～ 24 μm 。

生境分布　普生性浮游种类，特别在夏季大量出现。

标本采集地　白龙江碧口水库。

颗粒直链藻

14. 颗粒直链藻最窄变种 *Melosira granulata* var. *angustissima* O. Müller

分类　中心纲 Centricae　圆筛藻目 Coscinodiscales

圆筛藻科 Coscinodiscaceae　直链藻属 *Melosira*

形态特征　此变种与原种不同，为链状细长群体，壳体高度为直径的几倍到 10 倍；点纹在 10 μm 内 10 ～ 14 条；细胞直径 3 ～ 4.5 μm，高 11.5 ～ 17 μm。

生境分布　常与原种一同出现。

标本采集地　白龙江关头坝。

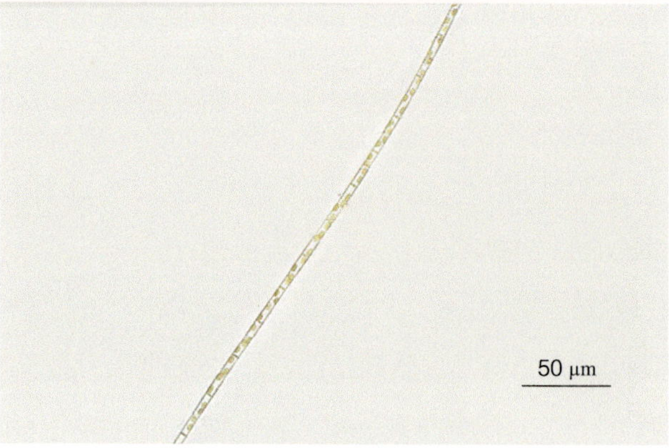

颗粒直链藻最窄变种

15. 小环藻属未定种 *Cyclotella* sp.

分类 中心纲 Centricae 圆筛藻目 Coscinodiscales

圆筛藻科 Coscinodiscaceae 小环藻属 *Cyclotella*

形态特征 植物体为单细胞或由胶质或小棘连接成疏松的链状群体，多为浮游。细胞鼓形。壳面圆形，绝少为椭圆形，呈同心圆皱褶的同心波曲，或与切线平行皱褶的切向波曲，绝少平直；纹饰具边缘区和中央区之分，边缘区具辐射状线纹或肋纹，中央区平滑或具点纹、斑纹，部分种类壳缘具小棘；色素体小盘状，多数。

生境分布 此属主要是浮游种类。早春时大量出现。淡水及海水产，常生长于池塘、湖泊、流速缓慢的河流等生境中，也有生活在泥土中的。

标本采集地 白龙江关头坝。

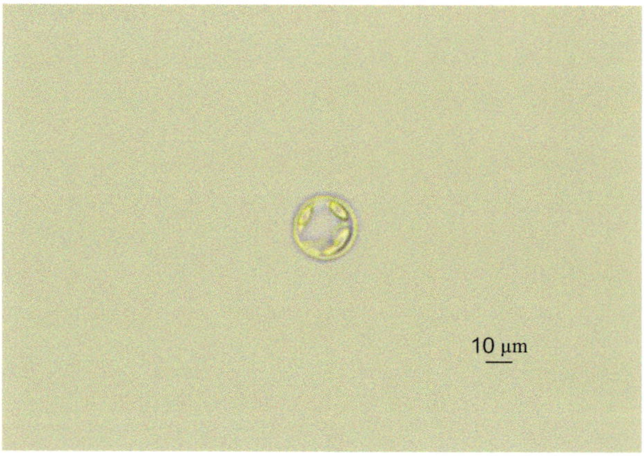

小环藻属未定种

16. 具星小环藻 *Cyclotella stelligera*（Cl. & Gru.）Van Heurck

分类 中心纲 Centricae 圆筛藻目 Coscinodiscales

圆筛藻科 Coscinodiscaceae 小环藻属 *Cyclotella*

形态特征 单细胞，圆盘形；壳面圆形，呈同心波曲；边缘区较狭，具辐射状排列的粗线纹，在 10 μm 内 12 ～ 16 条；中央区具星状排列的短线纹，中心具 1 个单独的点纹。细胞直径 5.5 ～ 24.5 μm。

生境分布 为浮游种类。早春时大量出现。淡水及海水均产，常生长于池塘、湖泊、流速缓慢的河流等生境中，也有生活在泥土中的。

标本采集地 黄河干流。

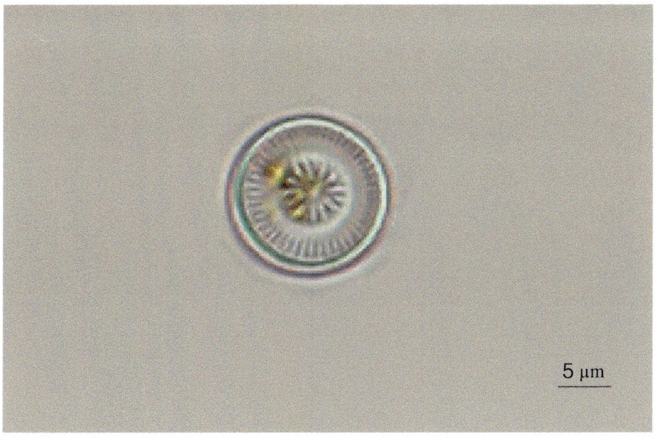

具星小环藻

17. 扎卡四棘藻 *Attheya zachariasi* Brun.

分类 中心纲 Centricae 盒形藻目 Biddulphiales

盒形藻科 Biddulphicaceae 四棘藻属 *Attheya*

形态特征 单细胞或 2 ～ 3 个细胞连成暂时性群体。细胞扁圆柱形。壳面呈扁椭圆形，中部凹入，两端各具 2 条粗而长的刺状突起，细胞壁极薄。带面长方形，具许多环状间生带。色素体小盘状，常 2 ～ 4 个。细胞宽（15 ～）20 ～ 28 μm，长（不连刺）35 ～ 110 μm；刺长 35 ～ 100 μm。

生境分布 生长于温暖地区的湖泊中。

标本采集地 白龙江关头坝。

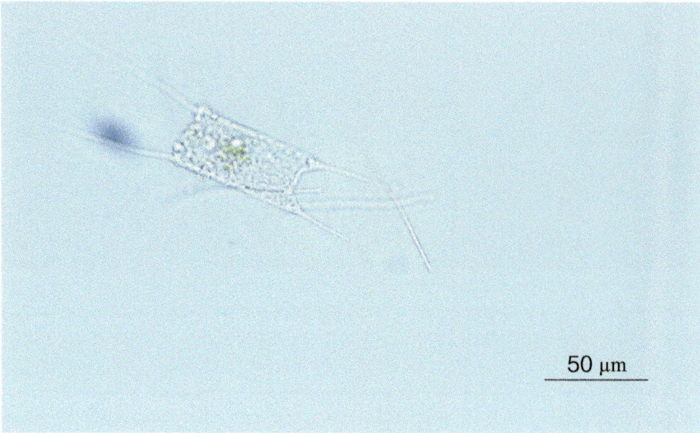

扎卡四棘藻

18. 普通等片藻 *Diatoma vulgare* Borg.

分类 羽纹纲 Pennatae 无壳缝目 Araphidiales

脆杆藻科 Fragilariaceae 等片藻属 *Diatoma*

形态特征 细胞连成“Z”形群体。壳面线形披针形到椭圆披针形，中部略凸，逐渐向两端狭窄、顶端喙状，壳面一端具 1 个唇形突。假壳缝线形，很狭窄，其两侧具横肋纹，肋纹间具横线纹。线纹在 10 μm 内 20 ～ 25 条，肋纹在 10 μm 内 6 ～ 10 条。带面长方形，角圆，间生带数目少。细胞长 30 ～ 60 μm，宽 10 ～ 15 μm。

生境分布 常见于湖泊沿岸带，着生于水草上，有时为偶然性浮游种类。

标本采集地 白龙江碧口水库 [图（a）、图（b）]、白龙江关头坝 [图（c）]。

（a）壳面

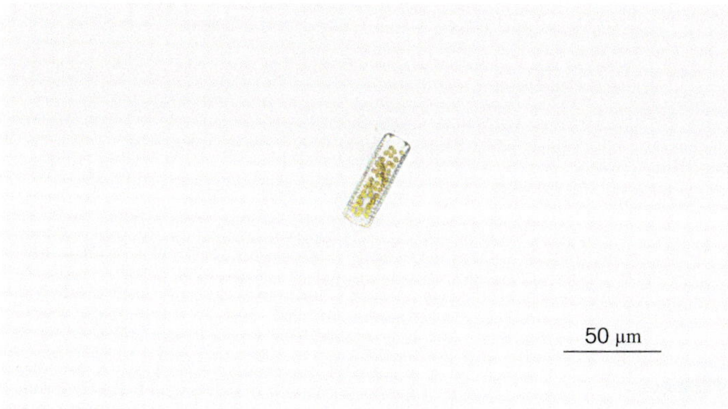

（b）带面

（c）群体

普通等片藻

19. 纤细等片藻 *Diatoma tenue* Agar.

分类　羽纹纲 Pennatae　无壳缝目 Araphidiales

　　　脆杆藻科 Fragilariaceae　等片藻属 *Diatoma*

形态特征　细胞连成星形群体。壳面线形到线形披针形，线形的两端圆或略膨大，线形披针形的两端略尖，壳面一端的末端 1 条肋纹上具 1 个唇形突；假壳缝线形，其两侧具横线纹和肋纹，线纹很细，在 10 μm 内 16 ～ 20 条，肋纹在 10 μm 内 5 ～ 10 条；带面细长线形。细胞长 21 ～ 120 μm，宽 2 ～ 4.5 μm。

生境分布　生长在池塘、湖泊、水库、河流、沼泽中。

标本采集地　白龙江关头坝。

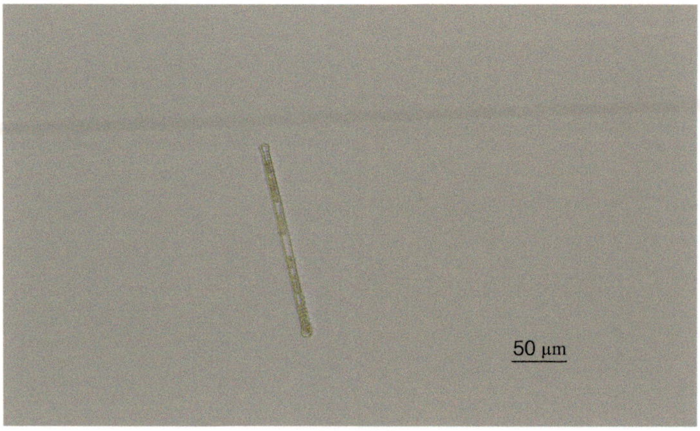

纤细等片藻

20. 冬季等片藻 *Diatoma hiemale*（Roth.）Heib.

分类 羽纹纲 Pennatae 无壳缝目 Araphidiales

脆杆藻科 Fragilariaceae 等片藻属 *Diatoma*

形态特征 壳面线形披针形，长 16 ～ 103 μm，宽 7 ～ 16 μm。肋纹粗，在 10 μm 内具 2 ～ 6 条；线纹在 10 μm 内具 16 ～ 20 条；假壳缝宽线形。带面长方形，边缘肋纹间具细线纹，间生带较多。

生境分布 淡水普生，山区种类。

标本采集地 白龙江关头坝。

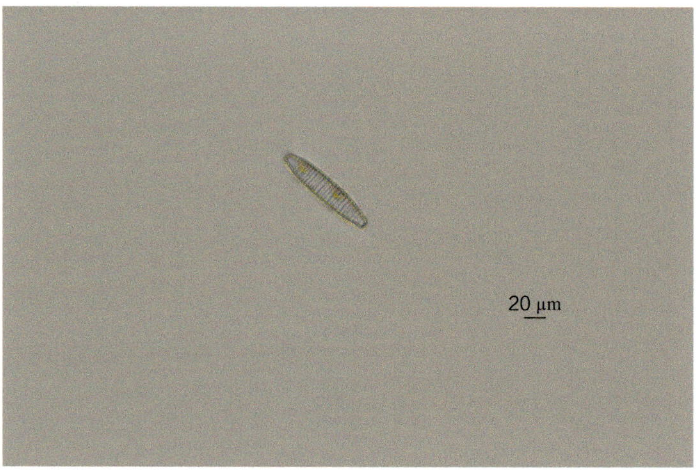

冬季等片藻

21. 普通等片藻卵圆变种 *Diatoma vulgare* var. *ovalis*（Frick.）Hust.

分类 羽纹纲 Pennatae 无壳缝目 Araphidiales

脆杆藻科 Fragilariaceae 等片藻属 *Diatoma*

形态特征 与原种的显著差异是壳面卵形，长 8 ～ 14 μm，宽 5 ～ 7 μm。

生境分布 淡水普生性种类。

标本采集地 黄河干流甘肃农业大学附近水体。

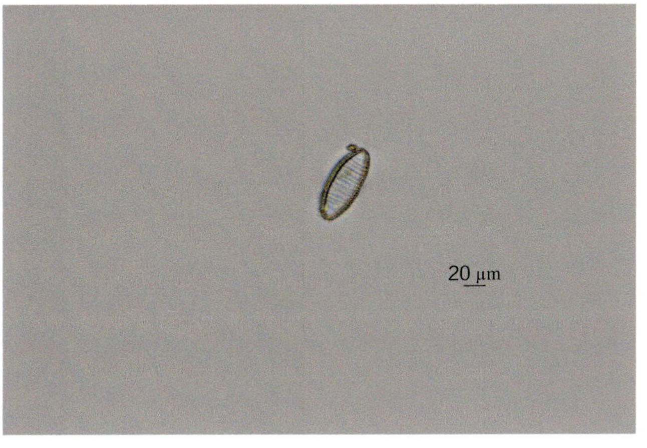

普通等片藻卵圆变种

22. 克罗顿脆杆藻 *Fragilaria crotonensis* Kit.

分类 羽纹纲 Pennatae 无壳缝目 Araphidiales

脆杆藻科 Fragilariaceae 脆杆藻属 *Fragilaria*

形态特征 细胞以壳面连成带状群体。带面观中部及两端贯壳轴加宽，因而群体中细胞仅在中部或两端相连，而相连的中部到两端之间形成 1 个披针形区域。壳面线形，中部较宽，末端略头状。壳面长 34 ～ 89 μm，宽 2 ～ 4 μm。横线纹平行排列，在 10 μm 内有 12 ～ 18 条。壳面中部有 1 个长方形中央区。

生境分布 分布于河、湖、水库、水坑、水塘、盐池、潮湿地表、沼泽、水沟。

标本采集地 白龙江关头坝 [图（a）、图（b）]、白龙江碧口水库 [图（c）]。

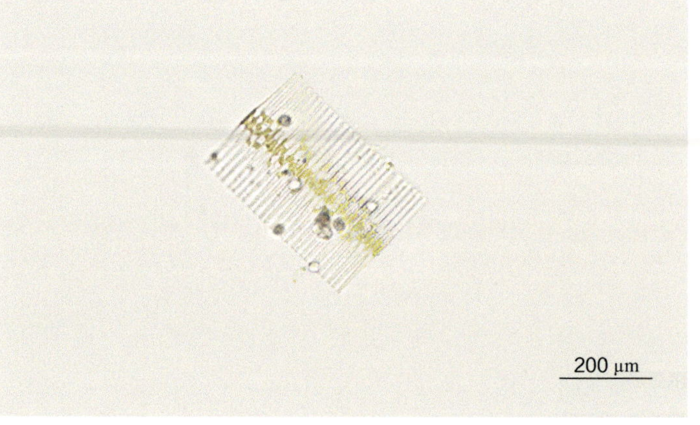

（a）

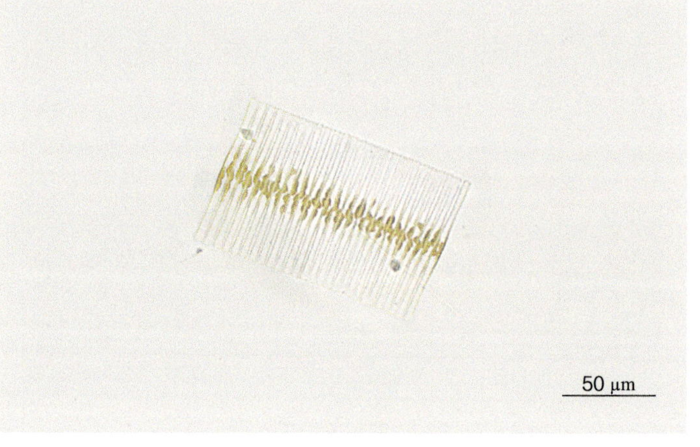

（b）

（c）

克罗顿脆杆藻

23. 钝脆杆藻 *Fragilaria capucina* Desm.

分类 羽纹纲 Pennatae 无壳缝目 Araphidiales

脆杆藻科 Fragilariaceae 脆杆藻属 *Fragilaria*

形态特征 细胞常互相连成带状群体。壳面长线形，近两端逐渐略狭窄；末端略膨大，钝圆形。假壳缝线形。横线纹细，在 10 μm 内 8 ～ 17 条。中心区矩形，无线纹。细胞长 25 ～ 220 μm，宽 2 ～ 7 μm。

生境分布 淡水沿岸带偶然性浮游种类，在半咸水中也有。

标本采集地 白龙江关头坝。

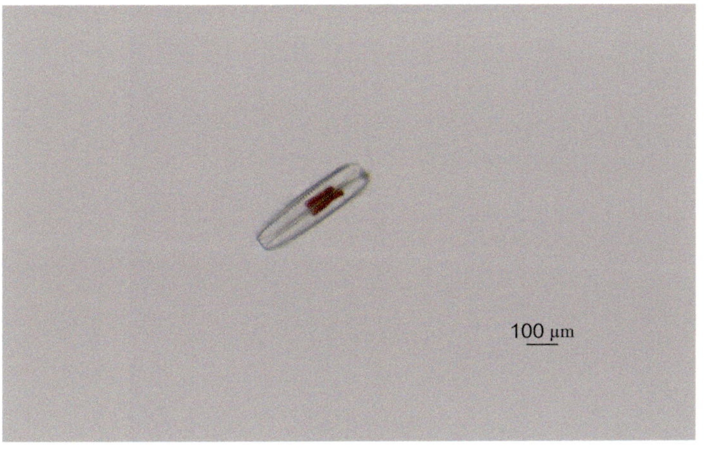

钝脆杆藻

24. 尖针杆藻 *Synedra acus* Kütz.

分类 羽纹纲 Pennatae 无壳缝目 Araphidiales

脆杆藻科 Fragilariaceae 针杆藻属 *Synedra*

形态特征 壳面披针形，中部宽，从中部向两端逐渐狭窄，末端圆形或近头状。假壳缝狭窄，线形。中央区长方形。横向纹细，平行排列，在 10 μm 内 10 ～ 18 条。带面细线形。细胞长 62 ～ 300 μm，宽 3 ～ 6 μm。

生境分布 普生性种类，生长在池塘、湖泊等各种淡水中。

标本采集地 白龙江关头坝。

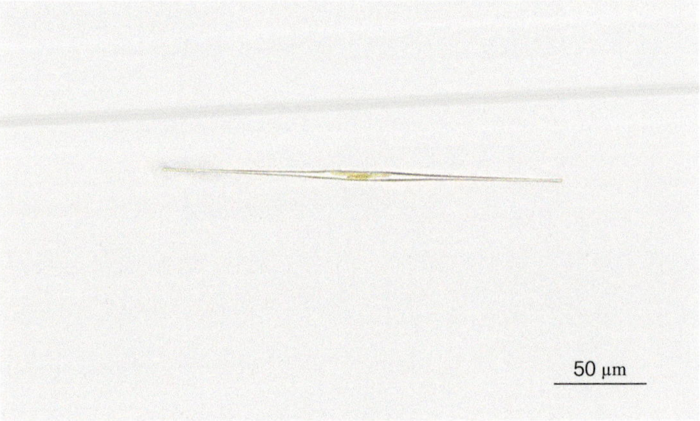

尖针杆藻

25. 两头针杆藻 *Synedra amphicephala* Kütz.

分类　羽纹纲 Pennatae　无壳缝目 Araphidiales

脆杆藻科 Fragilariaceae　针杆藻属 *Synedra*

形态特征　壳面线形到线形披针形，从中部向两端逐渐尖细，末端明显呈头状。假壳缝狭线形。中央区通常无。横线纹细，在 10 μm 内 11 ～ 18 条，通常 10 μm 内 15 ～ 16 条。带面长方形，向两端逐渐狭窄。细胞长 9 ～ 75 μm，宽 2 ～ 4 μm。

生境分布　普生性种类。

标本采集地　白龙江碧口水库 [图（a）]、白龙江关头坝 [图（b）]。

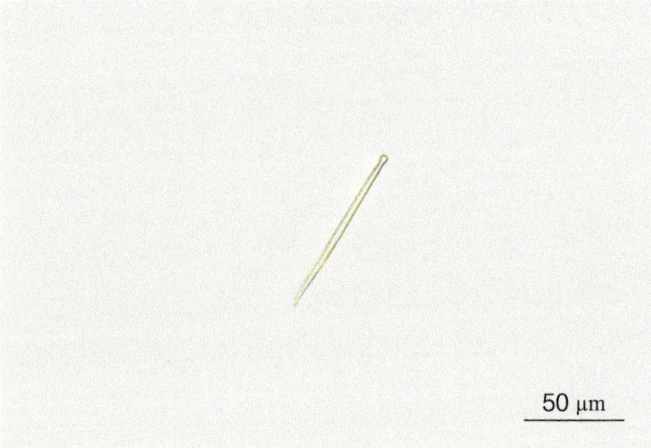

（a）

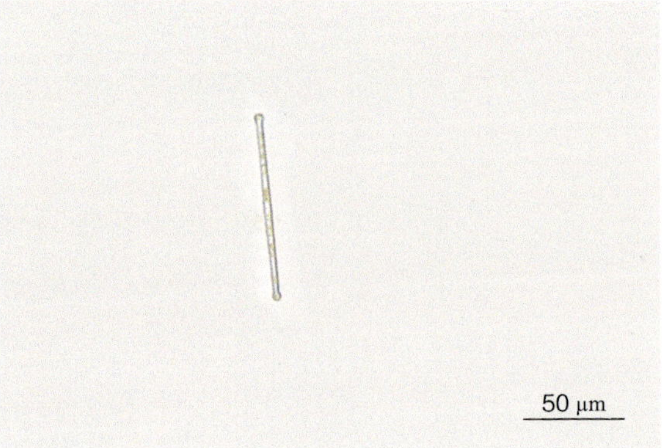

（b）

两头针杆藻

26. 肘状针杆藻 *Synedra ulna*（Nitzsch.）Ehr.

分类 羽纹纲 Pennatae 无壳缝目 Araphidiales

脆杆藻科 Fragilariaceae 针杆藻属 *Synedra*

形态特征 壳面线形到线形披针形，末端略呈宽钝圆形，有时呈喙状，末端宽，两端孔区各具 1 个唇形突和 1 ～ 2 个刺。假壳缝狭窄、线形。中央区横长方形或无，有时在中央区边缘具很短的线纹。横线纹较粗，由点纹组成，平行排列，两端横线纹偶见放射排列，在 10 μm 内 8 ～ 14 条。带面线形。细胞长 50 ～ 389 μm，宽 3 ～ 9 μm。

生境分布 淡水普生性种类。

标本采集地 白龙江关头坝。

肘状针杆藻

27. 柔嫩针杆藻 *Synedra tenera* Wm.

分类 羽纹纲 Pennatae 无壳缝目 Araphidiales

脆杆藻科 Fragilariaceae 针杆藻属 *Synedra*

形态特征 壳面很窄，线形，末端微微膨大略呈圆形，有时近端略微缢缩，末端呈喙头形。假壳缝窄线形，不显著。无中心区。壳面长 21 ～ 126 μm，壳面宽 2 ～ 2.5 μm。据 Patrick 等（1966）记述，壳面长 30 ～ 162 μm，宽 1.5 ～ 5 μm。横线纹明显，平行排列，在 10 μm 内有 18 ～ 24 条。

生境分布 常出现在水体小环境（如小水坑、山泉、小湖、小瀑布）中。

标本采集地 白龙江碧口水库。

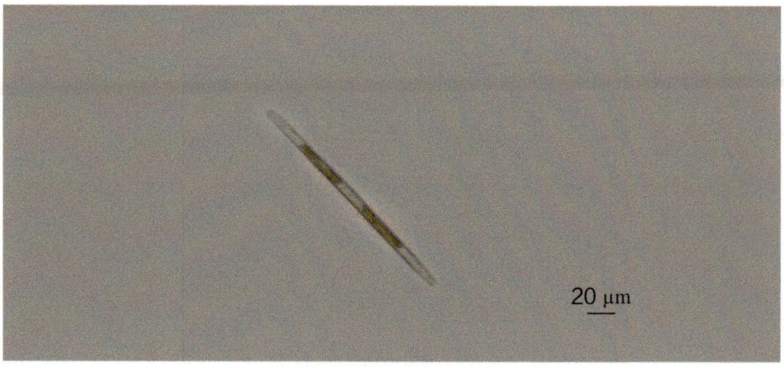

柔嫩针杆藻

28. 美丽星杆藻 *Asterionella formosa* Hass.

分类 羽纹纲 Pennatae 无壳缝目 Araphidiales

脆杆藻科 Fragilariaceae 星杆藻属 *Asterionella*

形态特征 壳体组成（形成）星状群体，壳体彼此附着的两端比群体其他部分宽大。壳面线形，壳面末端逐渐变得较窄，末端头状，一端呈较为粗状的头状，另一端呈较小头状或不明显的头状；壳面长 40 ～ 130 μm，壳面宽 1 ～ 3 μm。假壳缝很窄，常不明显。横线纹清楚，在 10 μm 内有 24 ～ 28 条。

生境分布 浮游生物种，最常出现在水库、水泡、水沟、水田等中营养或富营养的水体中，也存在于潮湿的岩壁上。

标本采集地 白龙江关头坝 [图（a）、图（b）]。

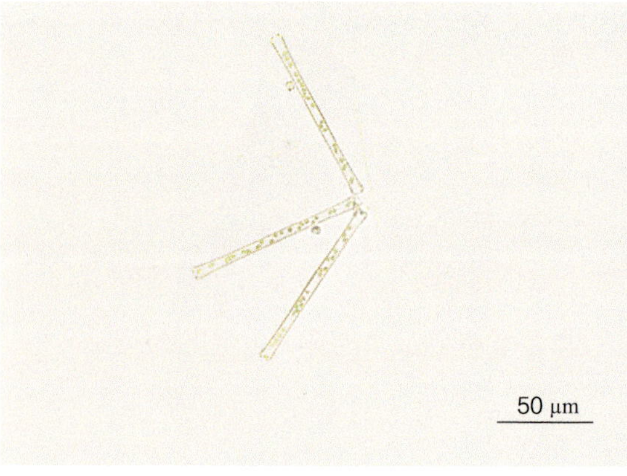

（a）

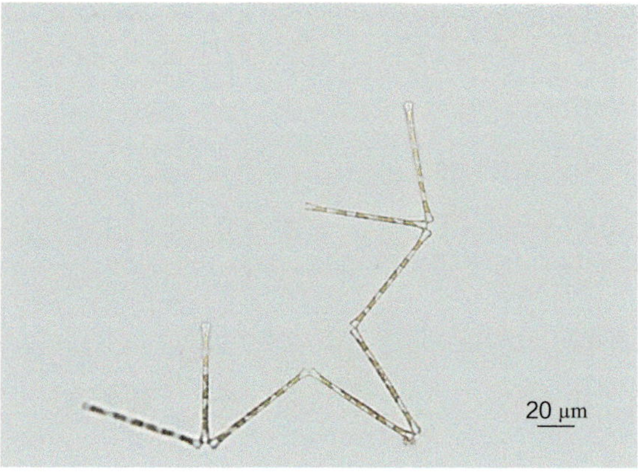

（b）

美丽星杆藻

29. 扁圆卵形藻 *Cocconeis placentula*（Ehr.）Hust.

分类 羽纹纲 Pennatae 单壳缝目 Monoraphidinales

曲壳藻科 Achnanthaceae 卵形藻属 *Cocconeis*

形态特征 壳面椭圆形，长 11 ～ 70 μm，宽 8 ～ 40 μm；具假壳缝的一面横线纹，由同大的小孔纹连成；具壳缝的一面，各线纹均在近壳的边缘中断，形成一个环绕在近壳缘四周的环状平滑区；线纹在 10 μm 内具 20 ～ 25 条。

生境分布 普生性种类，多着生在水生植物及其他物体上。

标本采集地 黄河干流甘肃农业大学附近。

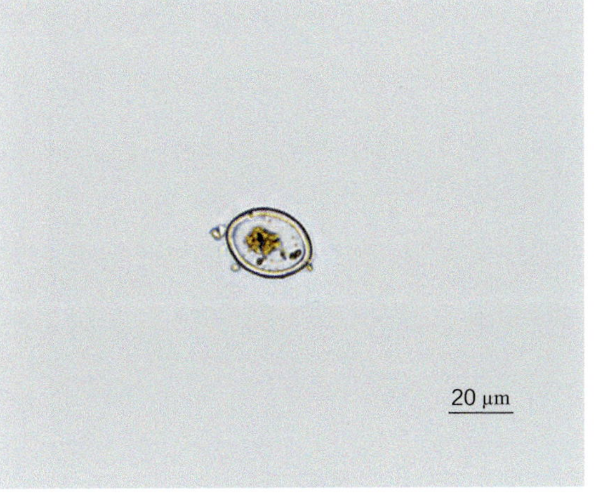

扁圆卵形藻

30. 尖布纹藻 *Gyrosigma acuminatum*（Kütz.） Rabenh.

分类 羽纹纲 Pennatae 双壳缝目 Biraphidinales

舟形藻科 Naviculaceae 布纹藻属 *Gyrosigma*

形态特征 壳面披针形，略呈“S”形弯曲，近两端圆锥形，末端钝圆；中央区长椭圆形；壳缝两侧具纵线纹和横线纹“十”字交叉构成的布纹，纵线纹和横线纹相等粗细，在 10 μm 内 16 ～ 22 条。细胞长 82 ～ 200 μm，宽 11 ～ 20 μm。

生境分布 普生性种类。

标本采集地 白龙江关头坝。

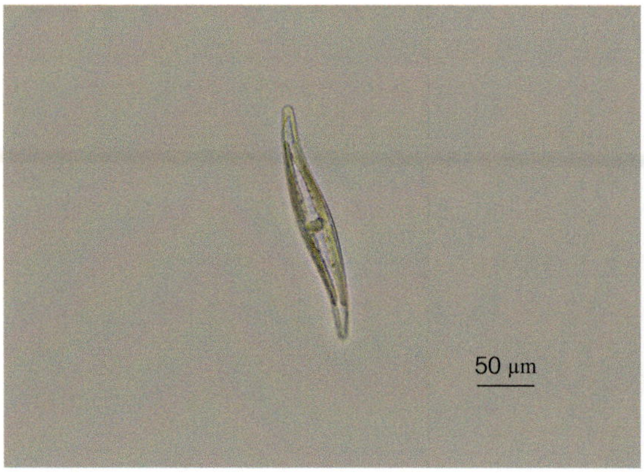

尖布纹藻

31. 锉刀状布纹藻 *Gyrosigma scalproides*

分类 羽纹纲 Pennatae 双壳缝目 Biraphidinales

舟形藻科 Naviculaceae 布纹藻属 *Gyrosigma*

形态特征 壳面略呈"S"形、线形，于壳面长度的2/3处开始逐渐变细，末端钝圆。常有极微收缩。中轴区与壳缝偏心，呈斜的、微弱的"S"形。末端凿状，有时几乎对称。壳缝两端外面空间略呈"T"形。端节偏心，中央区小，长椭圆形或圆形。横线纹比纵线纹更清晰，中央区的线纹比两端线纹略粗。壳面中部的横线纹或直或放射状，略弯曲或波状。在壳面中央区两边的纵线纹向外弯曲。壳面中部横线纹在10 μm内有20～24条，纵线纹在10 μm内有28～31条。壳面长25～56（～75）μm，壳面宽5～10（～12）μm。

生境分布 普生性种类。广泛分布于流水及微碱性环境中。

标本采集地 白龙江碧口水库。

锉刀状布纹藻

32. 窄缝辐节藻 *Stauroneis smithii* Grun.

分类 羽纹纲 Pennatae 双壳缝目 Biraphidinales

舟形藻科 Naviculaceae 辐节藻属 *Stauroneis*

形态特征 壳面椭圆形至菱形披针形，侧缘各具 3 个浅波纹，末端尖喙状凸起；长 14 ～ 40 μm，宽 4 ～ 9 μm；壳缝直，线形，中轴区很狭窄，中心区细长，横带状；横线纹细，略呈放射状，在 10 μm 内具 26 ～ 30 条。

生境分布 淡水普生性种类。

标本采集地 白龙江关头坝。

窄缝辐节藻

33. 放射舟形藻 *Navicula radiosa* Kütz.

分类 羽纹纲 Pennatae 双壳缝目 Biraphidinales

舟形藻科 Naviculaceae 舟形藻属 *Navicula*

形态特征 壳面线形到披针形，两端逐渐狭窄，末端狭、钝圆；中轴区狭窄，中央区小、菱形，中轴区和中央节比壳面其他区域的硅质较厚些，壳缝两侧绝大部分的横线纹略呈放射状斜向中央区，两端略斜向极节，在 10 μm 内 8 ～ 12 条。细胞长 36.5 ～ 120 μm，宽 5 ～ 19 μm。

生境分布 淡水普生性种类。

标本采集地 白龙江关头坝。

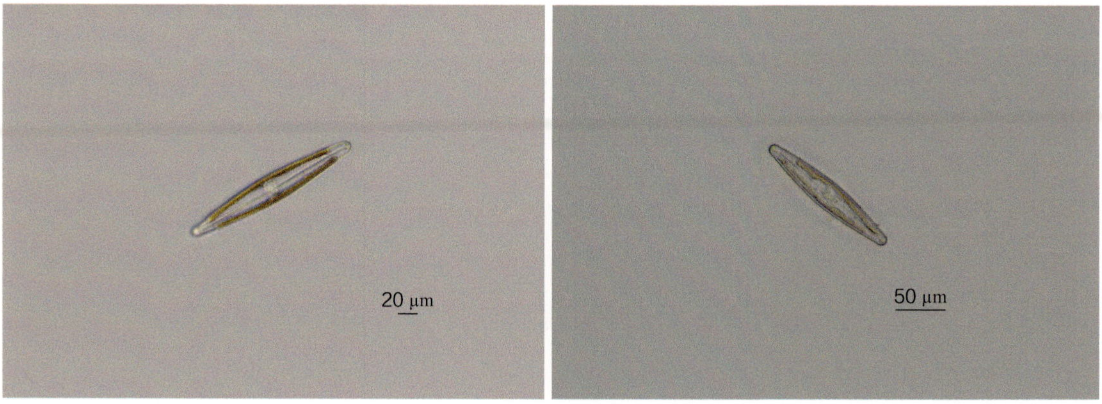

放射舟形藻

34. 喙头舟形藻 *Navicula rhynchocephala* Kütz.

分类 羽纹纲 Pennatae 双壳缝目 Biraphidinales

舟形藻科 Naviculaceae 舟形藻属 *Navicula*

形态特征 壳面披针形，两端凸出呈喙状到头状；中轴区狭窄，中央区大、圆形，中轴区和中央节硅质的厚度比壳面其他区域的厚；壳缝两侧的横线呈放射状斜向中央区，两端的近平行或略斜向极节，在 10 μm 内 9 ～ 18 条。细胞长 24 ～ 60 μm，宽 5 ～ 13 μm。

生境分布 淡水普生性种类。

标本采集地 黄河干流刘家峡水库。

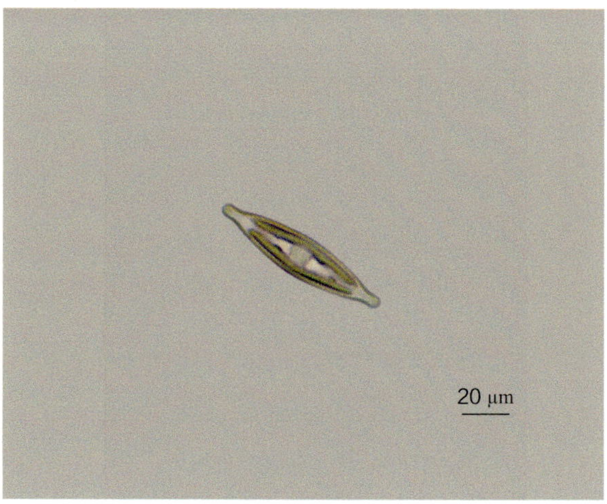

喙头舟形藻

35. 系带舟形藻 *Navicula cincta*（Ehr.）Kütz.

分类 羽纹纲 Pennatae 双壳缝目 Biraphidinales

舟形藻科 Naviculaceae 舟形藻属 *Navicula*

形态特征 壳面线形到披针形，末端钝圆，长 18 ～ 40 μm，宽 4 ～ 6 μm；中轴区狭窄；中心区小，略横向放宽；横线纹呈放射状排列，两端斜向极节，在 10 μm 内具 12 ～ 17 条。

生境分布 淡水及半咸水普生性种类。

标本采集地 白龙江碧口水库。

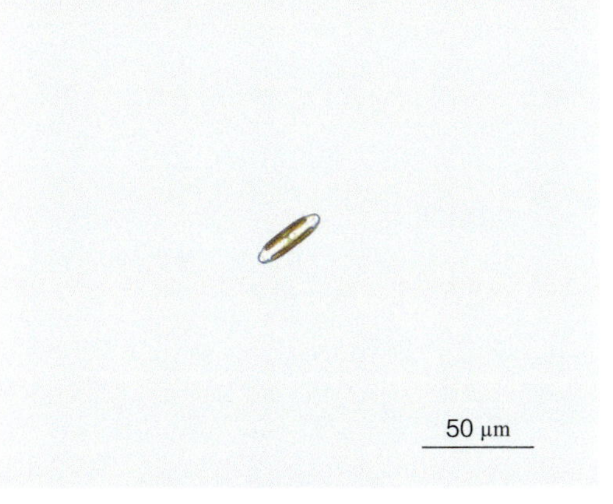

系带舟形藻

36. 隐头舟形藻 *Navicula cryptocephala* Kütz.

分类 羽纹纲 Pennatae 双壳缝目 Biraphidinales

舟形藻科 Naviculaceae 舟形藻属 *Navicula*

形态特征 壳面披针形，两端延长，末端呈头状到喙头状；中轴区狭窄，中央区横向放宽，常呈不规则形；壳缝两侧的横线纹很细，呈放射状斜向中央区，两端近平行或斜向极节，在 10 μm 内 16 ～ 24 条。细胞长 13 ～ 45 μm，宽 4 ～ 9 μm。

生境分布 淡水普生性种类，半咸水中也有。

标本采集地 白龙江关头坝。

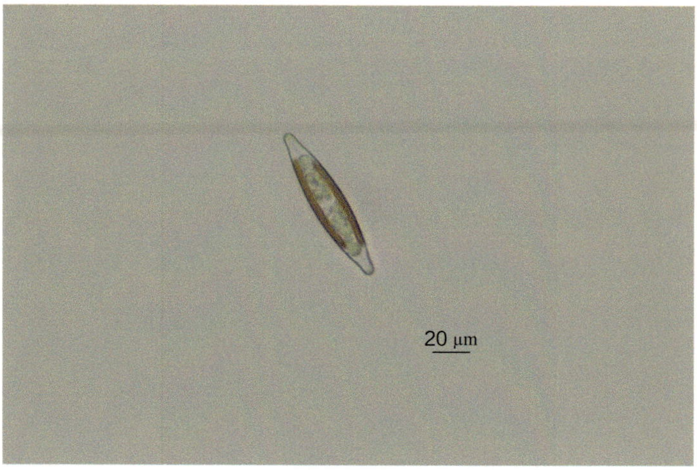

隐头舟形藻

37. 简单舟形藻 *Navicula simplex* Krassk.

分类　羽纹纲 Pennatae　双壳缝目 Biraphidinales

舟形藻科 Naviculaceae　舟形藻属 *Navicula*

形态特征　壳面披针形，末端喙状，长 32 ~ 38 μm，宽 8 ~ 10 μm；中轴区狭窄；中心区小，圆形；横线纹略呈放射状排列，两端斜向极节，在 10 μm 内 15 ~ 20 条。

生境分布　淡水常见种类。

标本采集地　白龙江关头坝。

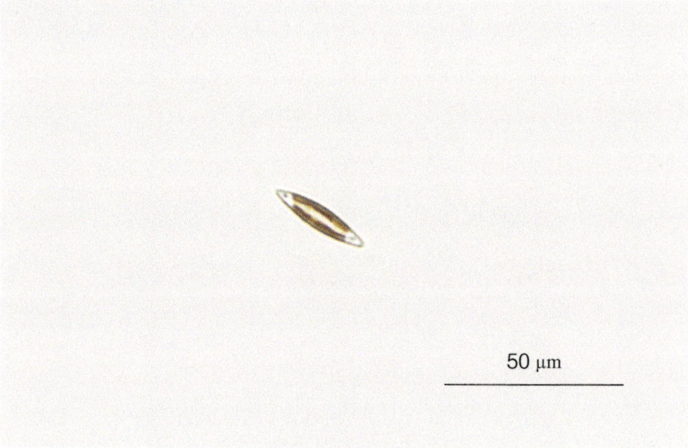

简单舟形藻

38. 北方羽纹藻 *Pinnularia borealis* Ehr.

分类 羽纹纲 Pennatae 双壳缝目 Biraphidinales

舟形藻科 Naviculaceae 羽纹藻属 *Pinnularia*

形态特征 壳面狭线形至线形椭圆形，末端广圆形，长 27 ～ 110 μm，宽 7 ～ 18 μm；中轴区狭窄，在中央节处略宽；中心区有时为横带状；壳缝线形；横肋纹粗，在 10 μm 内具 4 ～ 7 条。

生境分布 淡水普生性种类，特别是在山区分布。

标本采集地 白龙江关头坝。

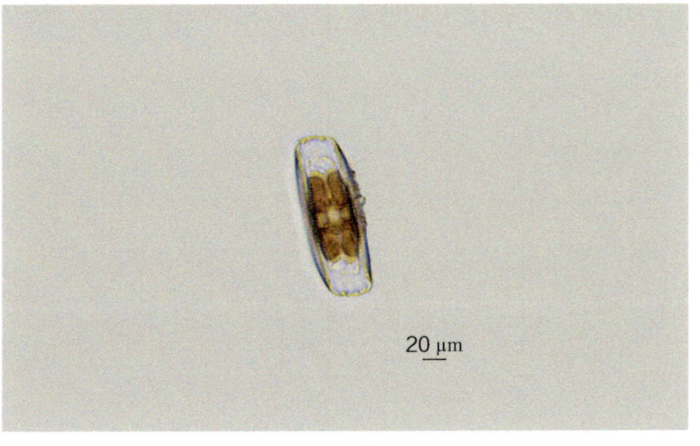

北方羽纹藻

39. 箱形桥弯藻 *Cymbella cistula*（Hempr.）Kirch.

分类 羽纹纲 Pennatae 双壳缝目 Biraphidinales

桥弯藻科 Cymbellaceae 桥弯藻属 *Cymbella*

形态特征 壳面新月形，有明显背腹之分，背缘凸出，腹缘凹入，其中部略凸出，末端钝圆到截圆；中轴区狭窄，中央区略扩大，多少呈圆形；壳缝偏于腹侧、弓形，末端呈钩形斜向背缘；腹侧中央区具 3 ～ 6 个单独的点纹，横线纹呈放射状斜向中央区，在中部近平行，背侧中部在 10 μm 内 5 ～ 12 条，腹侧中部在 10 μm 内 6 ～ 11 条，横线纹明显由点纹组成，在 10 μm 内 18 ～ 20 个。细胞长 31 ～ 180 μm，宽 10 ～ 36 μm。

生境分布 淡水普生性种类，常分布于高原、山区。

标本采集地 白龙江关头坝。

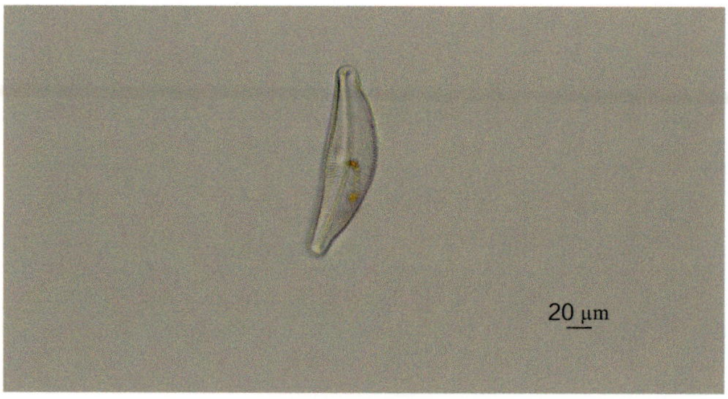

箱形桥弯藻

40. 膨胀桥弯藻 *Cymbella tumida*（Bréb. ex Kütz.）Van.

分类 羽纹纲 Pennatae 双壳缝目 Biraphidinales

桥弯藻科 Cymbellaceae 桥弯藻属 *Cymbella*

形态特征 壳面新月形，有明显背腹之分，背缘凸出，腹缘近平直，在中部略凸出，两端延长呈喙状，末端宽截形；中轴区狭窄，中央区大、圆形；壳缝略偏于腹侧，弯曲呈弓形，近末端分叉，1 条短的突然弯向腹侧，1 条长的呈镰刀形弯向腹侧；中央节与腹侧横线纹之间具 1 个单独的点纹，横线纹由点纹组成，略呈放射状斜向中央区，背侧中部在 10 μm 内 8 ~ 13 条，腹侧中部在 10 μm 内 8 ~ 14 条，点纹在 10 μm 内 16 ~ 22 个。细胞长 37 ~ 105 μm，宽 15 ~ 23 μm。

生境分布 淡水普生性种类。

标本采集地 白龙江碧口水库。

膨胀桥弯藻

41. 埃伦桥弯藻 *Cymbella ehrenbergii* Kütz.

分类　羽纹纲 Pennatae　双壳缝目 Biraphidinales

桥弯藻科 Cymbellaceae　桥弯藻属 *Cymbella*

形态特征　壳面广椭圆形至菱形披针形，不对称，末端钝圆，常略呈喙状，长 50 ~ 220 μm，宽 19 ~ 50 μm；中轴区很宽，披针形；中央节圆形扩大；壳缝直，略偏于一侧；横线纹粗，呈放射状排列，在 10 μm 内具 7 ~ 10 条。

生境分布　淡水普生性种类。广泛分布于河流、湖泊、水库的沿岸带。

标本采集地　黄河干流甘肃农业大学附近。

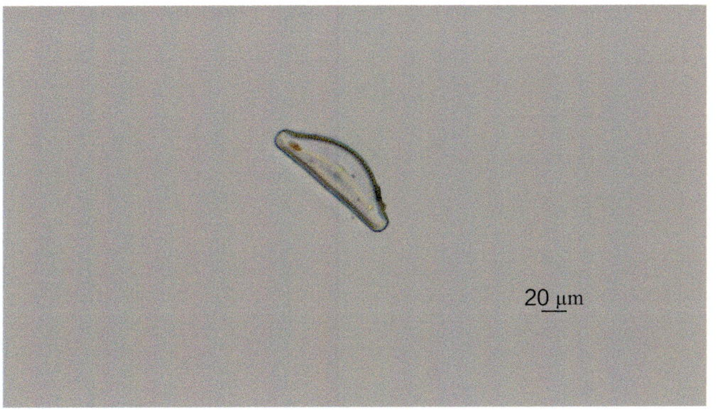

埃伦桥弯藻

42. 披针形桥弯藻 *Cymbella lanceolata*（Ag.）Agar.

分类　羽纹纲 Pennatae　双壳缝目 Biraphidinales

桥弯藻科 Cymbellaceae　桥弯藻属 *Cymbella*

形态特征　壳面新月形，有背腹之分，背缘凸出，腹缘除中部凸出外略凹入，末端钝圆；中轴区狭窄，中央区略扩大，近长椭圆形或略不规则；壳缝宽、略弯曲，略偏于腹侧，近末端转向背侧呈小圆钩形；横线纹在中部近平行或略斜向中央区，近两端呈放射状斜向中央区，背侧中部在 10 μm 内 7 ~ 11 条，腹侧中部在 10 μm 内 8 ~ 12 条。细胞长 84 ~ 234 μm，宽 16 ~ 40 μm。

生境分布　淡水普生性种类，特别是在静水沿岸带。

标本采集地　黄河干流甘肃农业大学附近。

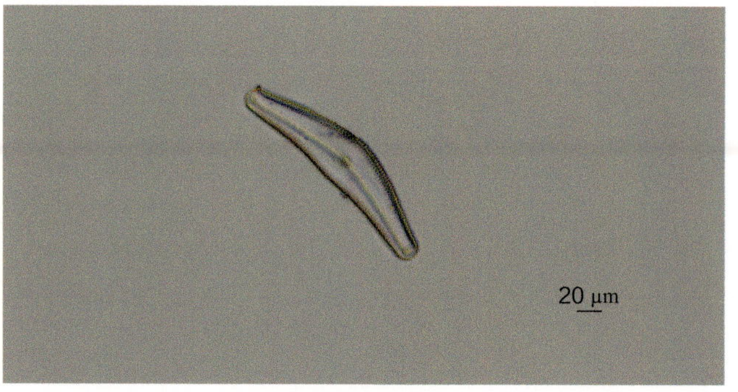

披针形桥弯藻

43. 西里西亚内丝藻 *Encyonema silesiacum*（Bleis.）Man.

分类 羽纹纲 Pennatae 双壳缝目 Biraphidinales

桥弯藻科 Cymbellaceae 内丝藻属 *Encyonema*

形态特征 壳面明显地具背腹之分，半披针形或半椭圆形（罕为半菱形），背缘呈明显或强烈的弓形弯曲，腹缘几乎平直但中部略拱形凸起（有时呈菱形状凸起）；两端渐狭，端部狭圆形或圆形。壳缝明显地偏于腹侧，线形，中段分叉不明显，几乎直向与腹缘近平行；近缝端壳缝部略膨大且略弯向背侧，远缝端壳缝多数靠近壳缘且弯向腹侧。轴区也偏于腹侧，窄，线形，也几乎与腹缘平行。中央区不明显；常有一明显的孤点，位于背侧中央线纹的端部。线纹放射状排列，但在端部呈汇聚状，在 10 μm 内有 11 ～ 14 条（中）和 14 ～ 18 条（端），组成线纹的点纹在 10 μm 内有 30 ～ 35 个。壳面长 15 ～ 43 μm，宽 7 ～ 10 μm，长与宽之比为 2.1 ～ 4.3。

生境分布 淡水性，适应性较广，在各种内陆水体中都可生长。

标本采集地 白龙江关头坝。

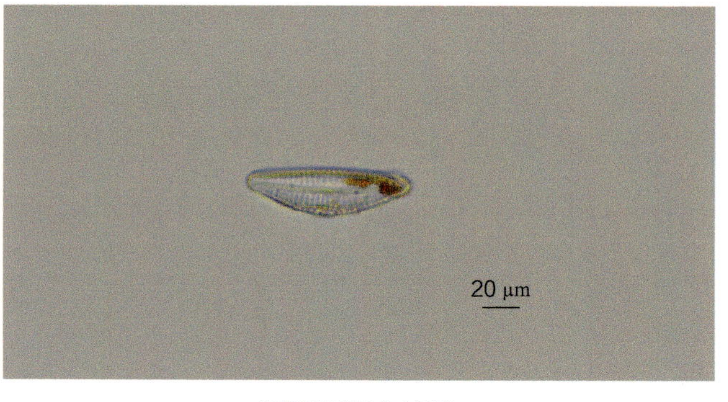

西里西亚内丝藻

44. 微细异极藻 *Gomphonema parvulum* Kütz.

分类 羽纹纲 Pennatae 双壳缝目 Biraphidinales

异极藻科 Gomphonemaceae 异极藻属 *Gomphonema*

形态特征 壳面棒状披针形，逐渐向前端变狭，前端喙状或短头状，中部最宽，向下端逐渐狭窄，末端狭圆；中轴区窄，中央区狭小不明显，在其一侧具 1 个单独的点纹；壳缝两侧的横线纹在中部近平行，在两端呈放射形状排列，在中间部分 10 μm 内 9 ～ 12 条。细胞长 14 ～ 26 μm，宽 4 ～ 8 μm。

生境分布 淡水静水普生性种类。

标本采集地 白龙江关头坝。

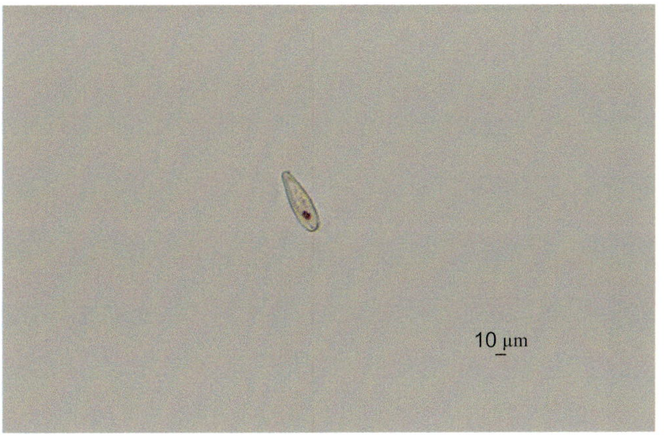

微细异极藻

45. 橄榄形异极藻 *Gomphonema olivaceum* （Lyngby.）Kütz.

分布 羽纹纲 Pennatae 双壳缝目 Biraphidinales

异极藻科 Gomphonemaceae 异极藻属 *Gomphonema*

形态特征 壳面卵形棒状，上部末端广圆形，下端逐渐狭窄，长 13 ～ 40 μm，宽 5 ～ 10 μm；中轴区很窄，线形；中心区横向放宽，无单独的点纹；横线纹呈放射状排列，在 10 μm 内具 10 ～ 16 条。

生境分布 淡水普生性种类，在半咸水中也有。

标本采集地 黄河干流甘肃农业大学附近。

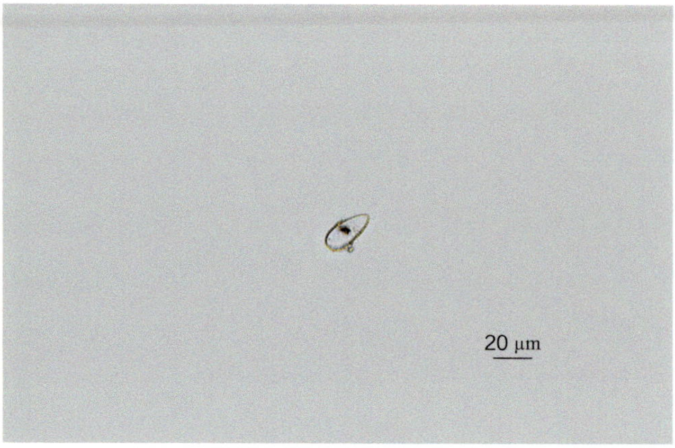

橄榄形异极藻

46. 类 S 状菱形藻（拟螺形菱形藻）*Nitzschia sigmoidea* (Nitzsch) W. Smith

分类 羽纹纲 Pennatae 管壳缝目 Aulonoraphidinales

菱形藻科 Nitzschiaceae 菱形藻属 *Nitzschia*

形态特征 细胞较大，一般带面比壳面宽，所以常示带面观。带面观“S”形弯曲，壳面观直线形，倾斜观察时，壳面稍呈“S”形弯曲；壳面长 180 ～ 450 μm，宽 7 ～ 14 μm；龙骨和龙骨突均明显，龙骨突在 10 μm 内 6 ～ 8 个；横线纹细密，光学显微镜下很难分辨。扫描电子显微镜下观察：壳面的龙骨上覆盖一冠层结构，冠层下的龙骨突纤细，管状，不规则地排列在龙骨上。线纹平行排列，与壳缘垂直，在 10 μm 内 24 ～ 27 条，线纹由单排点纹均匀排列而成，点纹为圆形穿孔；每个龙骨突与 2 ～ 5 条点线纹相连接；中间 2 个龙骨突之间的距离不增大。壳缝离心，位于龙骨上；靠近壳缝有 1 条缢缩纵向的脊。壳缝管外壁有点纹，均匀成排，每排 6 ～ 7 个点，为壳面线纹的延伸。

生境分布 生于湖泊、溪流、小水渠、草地渗出水、沼泽中。

标本采集地 白龙江碧口水库。

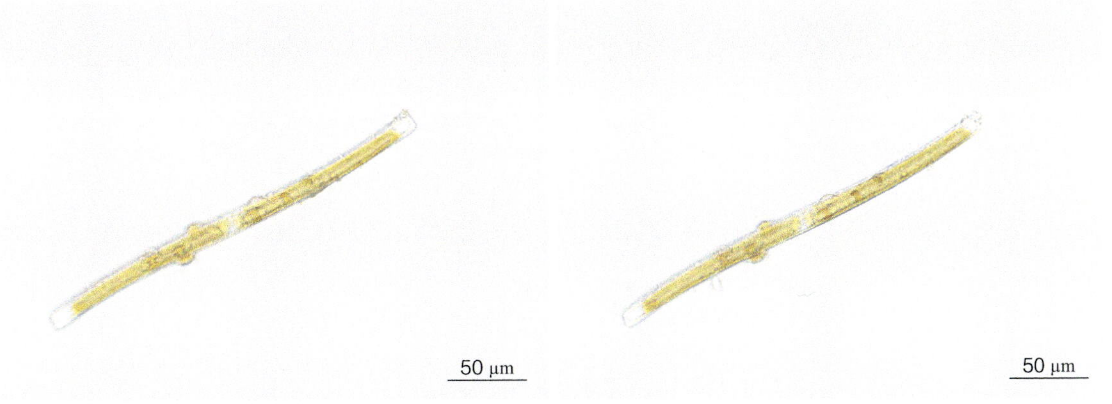

类 S 状菱形藻

47. 谷皮菱形藻 *Nitzschia palea*（Kütz.）W. Smith

分类 羽纹纲 Pennatae 管壳缝目 Aulonoraphidinales

菱形藻科 Nitzschiaceae 菱形藻属 *Nitzschia*

形态特征 壳面线形、线形披针形，两侧边缘近平行，两端逐渐狭窄，末端楔形；龙骨点在 10 μm 内 10 ～ 15 个，横线纹细，在 10 μm 内 30 ～ 40 条。细胞长 20 ～ 78 μm，宽 3 ～ 5 μm。

生境分布 淡水普生性种类。

标本采集地 白龙江碧口水库。

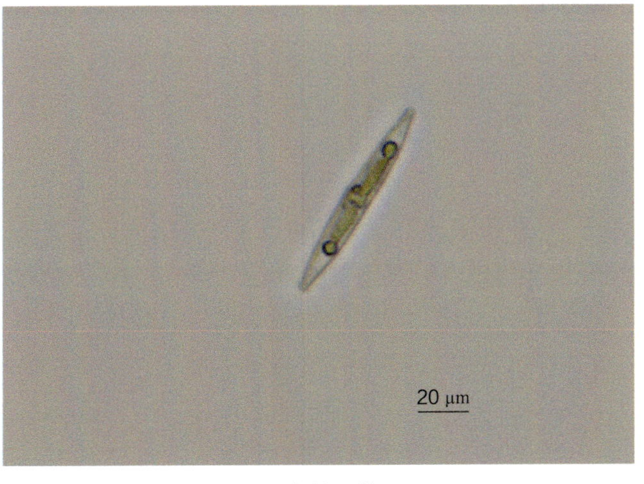

谷皮菱形藻

48. 池生菱形藻 *Nitzschia stagnorum* Rabenh.

分类　羽纹纲 Pennatae　管壳缝目 Aulonoraphidinales

菱形藻科 Nitzschiaceae　菱形藻属 *Nitzschia*

形态特征　壳面线形，两侧中部边缘略凹入，两端逐渐狭窄，并略延长，末端楔形；龙骨狭窄，龙骨点小、略圆，在 10 μm 内 7 ～ 12 个；横线纹在 10 μm 内 20 ～ 28 条。带面线形，两侧平行或略凹入或略凸出，末端宽截形。细胞长 22 ～ 60 μm，宽 3 ～ 10 μm。

生境分布　淡水普生性种类，尤其在小蓄水池、温室的玻璃壁上更多。

标本采集地　白龙江碧口水库。

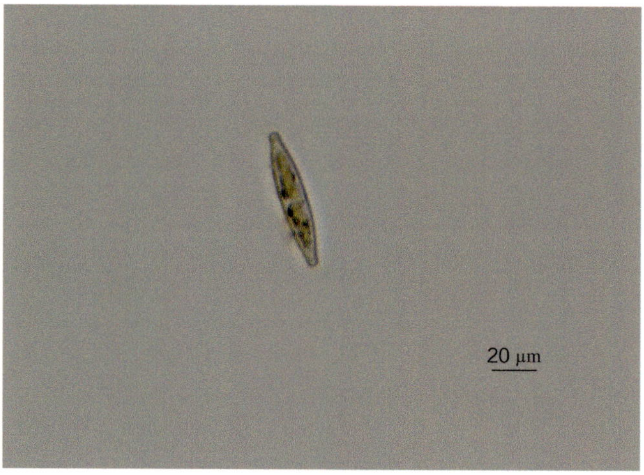

池生菱形藻

49. 派格棍形藻 *Bacillaria paxillifera* Hendey

分类　羽纹纲 Pennatae　管壳缝目 Aulonoraphidinales

菱形藻科 Nitzschiaceae　棍形藻属 *Bacillaria*

形态特征　藻体细胞长 70 ～ 115 μm。壳面线形，末端拉长。带面呈长方形。壳面呈棍形，由壳面彼此并排相连成链状群体，壳间可滑动。色素体小颗粒状，多数。

生境分布　通常为海产沿岸性浮游硅藻，分布很广，见于世界各海洋，有时可大量出现。淡水水体也有分布。

标本采集地　白龙江关头坝。

派格棍形藻

50. 华彩双菱藻 *Surirella splendida*（Ehr.）Kütz.

分类　羽纹纲 Pennatae　管壳缝目 Aulonoraphidinales

双菱藻科 Surirellaceae　双菱藻属 *Surirella*

形态特征　壳面椭圆 - 披针形，异极，一端钝圆，另一端近圆；壳面长 75 ～ 250 μm，宽 49 ～ 65 μm，翼状管在 100 μm 内 12 ～ 18 个；壳缝管位于较发达的龙骨上；壳面具波纹，形成波纹的肋纹从壳缘延伸至线形到披针形的透明线形区域。带面广楔形。

生境分布　生于河流、湖泊、小水渠、路边积水、沼泽，水草附生。

标本采集地　白龙江碧口水库。

华彩双菱藻

51. 粗壮双菱藻 *Surirella robusta* Ehr.

分类 羽纹纲 Pennatae 管壳缝目 Aulonoraphidinales
双菱藻科 Surirellaceae 双菱藻属 *Surirella*

形态特征 壳体两端异形。壳面卵形至椭圆形，末端钝圆形，长 150 ～ 400 μm，宽 50 ～ 150 μm；翼很发达，翼状突起清楚，翼状管在 100 μm 内具 7 ～ 15 个。带面楔形。

生境分布 淡水普生性种类。

标本采集地 白龙江碧口水库。

粗壮双菱藻

52. 线形双菱藻 *Surirella linearis* W. Smith

分类 羽纹纲 Pennatae 管壳缝目 Aulonoraphidinales
双菱藻科 Surirellaceae 双菱藻属 *Surirella*

形态特征 细胞两端同形、等宽。壳面长椭圆形，两侧中部平行或略凸出，两端逐渐狭窄、略呈楔形，末端钝圆形；翼状突起明显，翼狭窄。横肋纹在中部近平行排列，近两端略呈放射状斜向中部，在 10 μm 内 2 ～ 3 条。带面广楔形。细胞长 36 ～ 86 μm，宽 10 ～ 25 μm。

生境分布 淡水普生性种类。

标本采集地 白龙江碧口水库。

线形双菱藻

金藻门 Chrysophyta

53. 分歧锥囊藻 *Dinobryon divergens* Imh.

分类 金藻纲 Chrysophyceae 色金藻目 Chromulinales

锥囊藻科 Dinobryonaceae 锥囊藻属 *Dinobryon*

形态特征 群体细胞密集排列呈分枝较多的树状。囊壳为长柱状圆锥形，前端开口处略扩大，中部近平行呈圆柱形，中部的侧壁略凹入呈不规则的波状，后半部呈锥形，后端向一侧弯曲呈 45° ～ 90° ，末端渐尖呈锥状刺；囊壳长 28 ～ 65 μm，宽 8 ～ 11 μm。

生境分布 为湖泊、池塘中的常见种类。

标本采集地 黄河干流刘家峡水库。

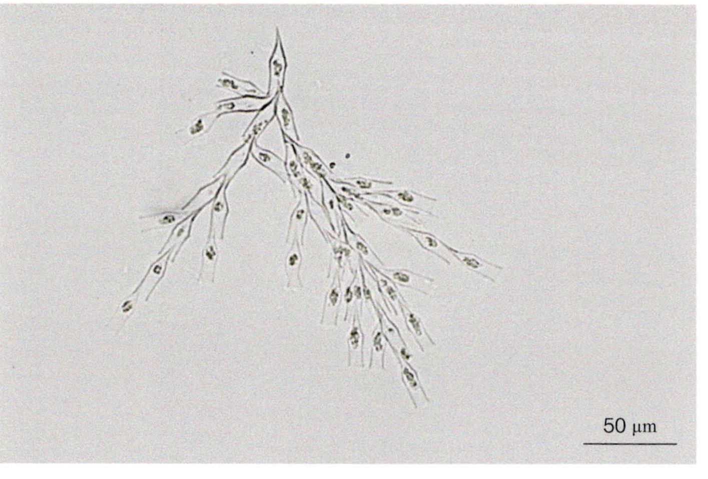

分歧锥囊藻

54. 长锥形锥囊藻 *Dinobryon bavaricum* Imh.

分类 金藻纲 Chrysophyceae 色金藻目 Chromulinales

锥囊藻科 Dinobryonaceae 锥囊藻属 *Dinobryon*

形态特征 群体由少数细胞近平行排列呈狭长的、自下向上略扩大的丛状。囊壳为长柱状圆锥形，前端开口处略扩大，中部近平行呈圆柱形，其侧缘略呈波状或无，后端细长，突尖或渐尖呈长锥状，略向一侧弯曲；囊壳长 50 ～ 120 μm，宽 6 ～ 10 μm。

生境分布 为湖泊、池塘中的常见种类。

标本采集地 黄河干流刘家峡水库。

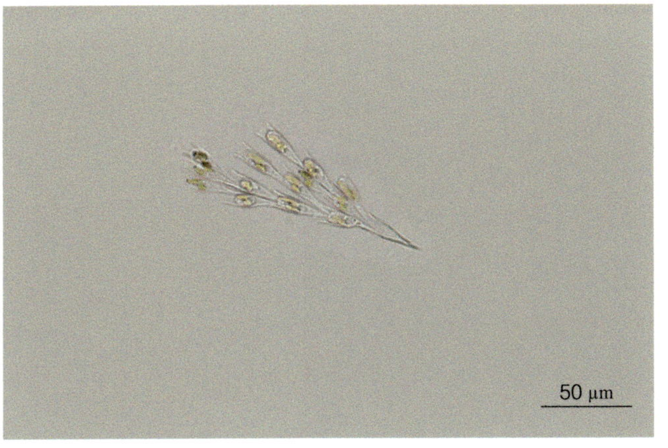

长锥形锥囊藻

55. 卵形色金藻 *Chromulina ovalis* Klebs.

分类 金藻纲 Chrysophyceae 色金藻目 Chromulinales
色金藻科 Chromulinaceae 色金藻属 *Chromulina*

形态特征 细胞略呈椭圆形，前端略凹，后端形态明显可变，表质平滑，圆形或延长成短尾状，长 9 ～ 14 μm，宽 6 ～ 9 μm。顶端具 1 条长度约为体长 1.5 倍的鞭毛。收缩胞 2 个，位于细胞前端。色素体 1 个，带状，黄色至褐色，环绕细胞内腔的大部分。眼点点状。核不明显。

生境分布 为湖泊、池塘中的常见种类。

标本采集地 黄河干流刘家峡水库。

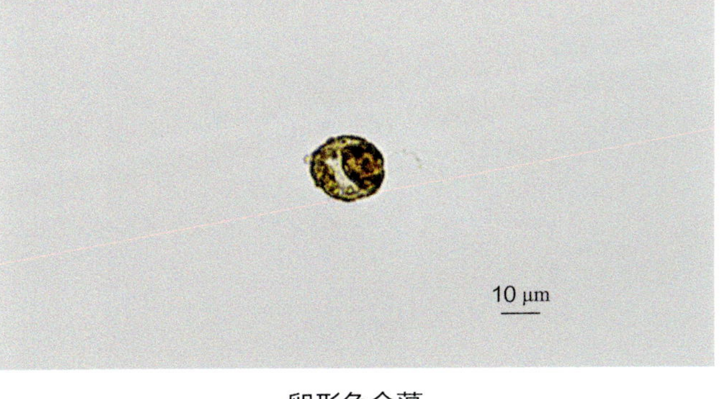

卵形色金藻

56. 北方金杯藻 *Kephyrion boreale* Skuja.

分类 金藻纲 Chrysophyceae 色金藻目 Chromulinales

锥囊藻科 Dinobryonaceae 金杯藻属 *Kephyrion*

形态特征 囊壳罐形，侧面观两侧近平行；壁平滑，无色或褐色；前端具 1 个短而狭的领，后端圆；原生质体前端具 1 条鞭毛，约与囊壳等长；前端具 2 个伸缩泡；色素体周生、带状，1 个，黄绿色或黄褐色；具或无眼点。细胞长 7 ~ 10 μm，宽 5 ~ 7 μm，厚 3.5 ~ 5 μm；领高 0.5 ~ 1 μm。

生境分布 为湖泊、池塘中的常见种类。

标本采集地 黄河干流刘家峡水库。

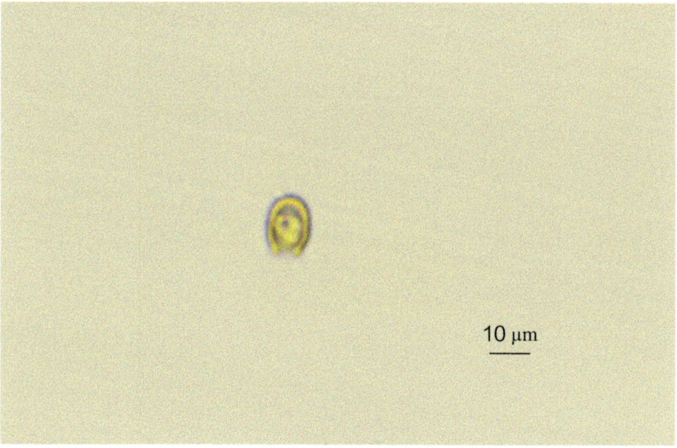

北方金杯藻

隐藻门 Cryptophyta

57. 尖尾蓝隐藻 *Chroomonas acuta* Uterm.

分类 隐藻纲 Cryptophyceae 隐鞭藻科 Cryptomonadaceae
蓝隐藻属 *Chroomonas*

形态特征 细胞纺锤形，前端宽斜，向后渐狭，后端尖细，常向腹侧弯曲。纵沟很短。无刺丝胞。色素体 1 个，橄榄色或暗绿色，具 1 个明显的蛋白核，位于细胞中部背侧。鞭毛与细胞长度约相等。细胞长 7 ～ 10 μm，宽 4.5 ～ 5.5 μm。

生境分布 为湖泊、池塘中的常见种类。

标本采集地 黄河干流刘家峡水库。

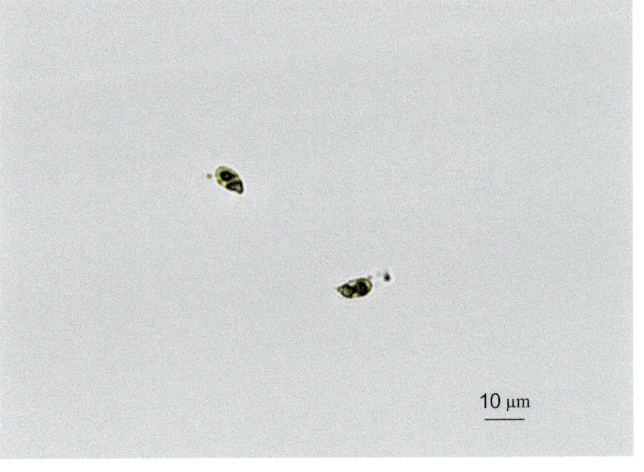

尖尾蓝隐藻

58. 啮蚀隐藻 *Cryptomonas erosa* Ehr.

分类 隐藻纲 Cryptophyceae 隐鞭藻科 Cryptomonadaceae
隐藻属 *Cryptomonas*

形态特征 细胞倒卵形到近椭圆形，前端背角凸出略呈圆锥形，顶部钝圆。纵沟有时很不明显，但通常较深。后端大多数渐狭，末端狭钝圆形，背部大多数明显凸起，腹部通常平直，极少略凹入。细胞有时弯曲，罕见扁平。口沟只达到细胞中部，很少达到后部；口沟两侧具刺丝胞。鞭毛与细胞等长。色素体2个，绿色、褐绿色、金褐色、淡红色，罕见紫色。储藏物质为淀粉粒，常为多数，盘形、双凹形、卵形或多角形。细胞宽8～16 μm，长15～32 μm。

生境分布 分布广，为湖泊、池塘中的常见种类。

标本采集地 黄河干流刘家峡水库。

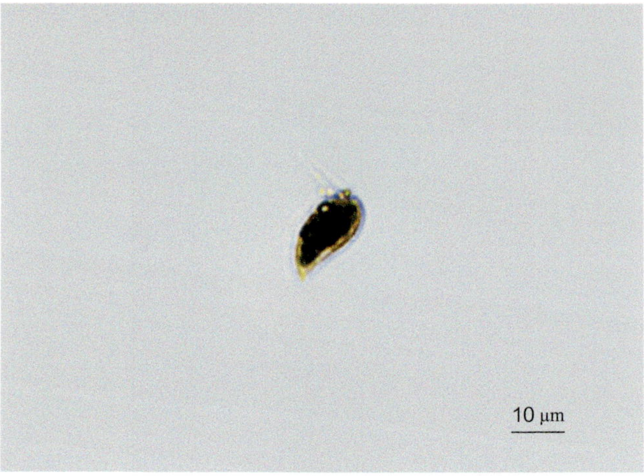

啮蚀隐藻

59. 卵形隐藻 *Cryptomonas ovata* Ehr.

分类 隐藻纲 Cryptophyceae 隐鞭藻科 Cryptomonadaceae
隐藻属 *Cryptomonas*

形态特征 细胞椭圆形或长卵形，通常略弯曲；前端明显的斜截形，顶端呈角状或宽圆，大多数为斜的凸状；后端为宽圆形。细胞多数略扁平；纵沟，口沟明显。口沟达到细胞的中部，有时近于细胞的腹侧，直或甚明显地弯向腹侧。细胞前端近口沟处常具2个卵形的反光体，通常位于口沟背侧，或者1个在背侧，另1个在腹侧。具2个色素体，有时边缘具缺刻，橄榄绿色，有时为黄褐色，罕见黄绿色。鞭毛2条，几乎等长，多数略短于细胞长度。细胞大小变化很大，通常长20～80 μm，宽6～20 μm，厚5～18 μm。

生境分布 分布广，为湖泊、池塘中的常见种类。

标本采集地 黄河干流刘家峡水库。

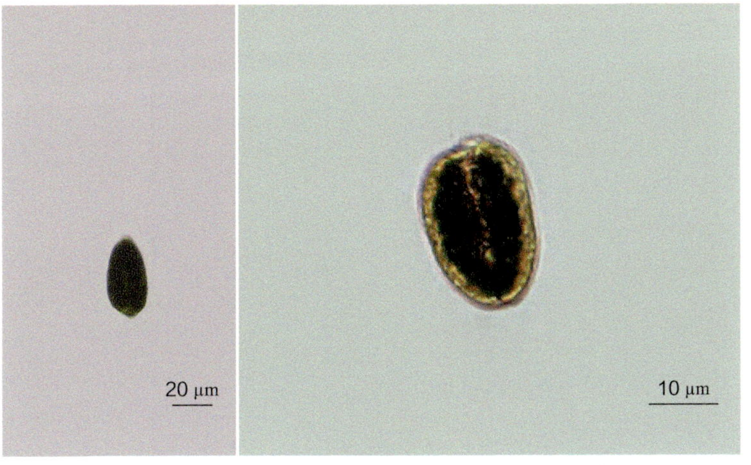

卵形隐藻

甲藻门 Dinophyta

60. 薄甲藻 *Glenodinium pulvisculus*（Ehr.） Stein

分类 甲藻纲 Dinophyceae 多甲藻目 Peridiniales

裸甲藻科 Gymnodiniaceae 薄甲藻属 *Glenodinium*

形态特征 细胞近球形，前后两端宽圆，后端有时较狭窄。上壳和下壳几乎相等。横沟略左旋，边缘略突出，纵沟直达末端。细胞壁薄。色素体多数，圆盘状，淡黄色。无眼点。细胞长 23 μm，宽 18.4 μm。

生境分布 大多分布在淡水中，少数分布于海洋中。

标本采集地 黄河干流刘家峡水库。

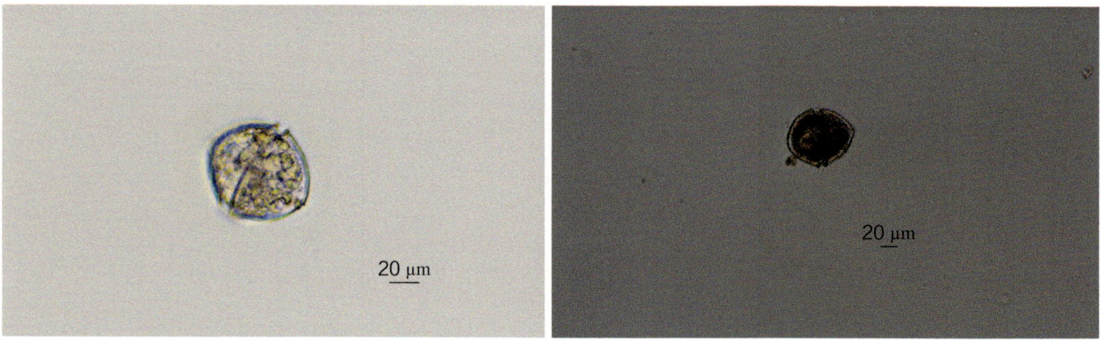

薄甲藻

61. 楯形多甲藻 *Peridinium umbonatum* Stein

分类 甲藻纲 Dinophyceae 多甲藻目 Peridiniales

多甲藻科 Peridiniaceae 多甲藻属 *Peridinium*

形态特征 细胞长卵形，背腹略扁平，具顶孔。上壳铃形，钝圆，显著地大于下壳。横沟明显地左旋；纵沟伸入上壳，向下显著地或不显著地扩大，但未达到下壳末端。第 3 块顶板与第 4 块沟前板相连；下壳斜向凸出。底板多数大小相等；板间带宽，具横纹；板片常凸出，有时凹入，厚，具窝孔纹，窝孔纹纵向并行排列。色素体圆盘状，周生，褐色。细胞长 25 ～ 35 μm，宽 21 ～ 32 μm。

生境分布 绝大多数分布于海洋，淡水也有分布。

标本采集地 白龙江关头坝。

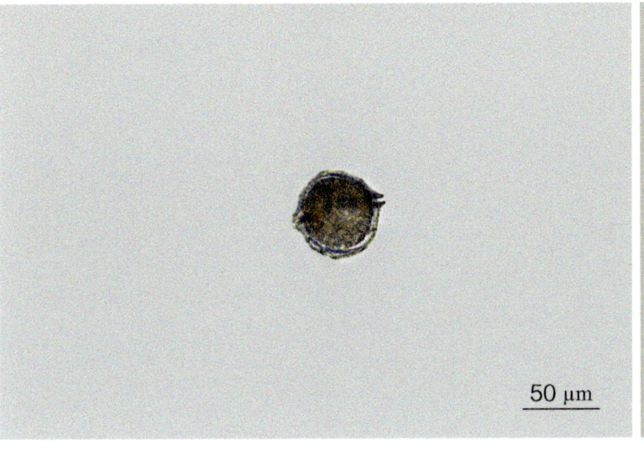

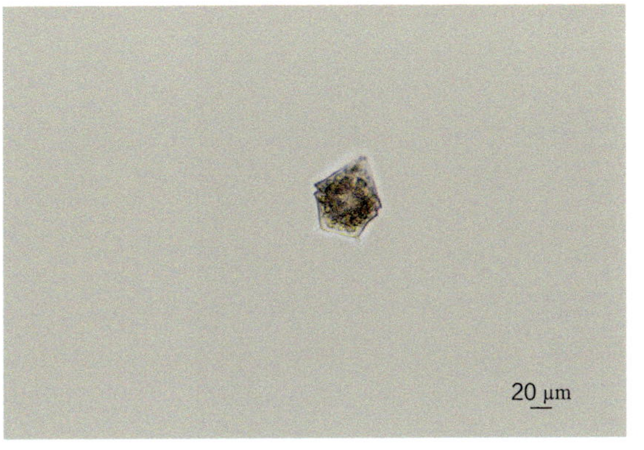

楯形多甲藻

62. 沃尔多甲藻 *Peridinium volzii* Lemm.

分类 甲藻纲 Dinophyceae 多甲藻目 Peridiniales

多甲藻科 Peridiniaceae 多甲藻属 *Peridinium*

形态特征 细胞球形，背腹略扁平。无顶孔。上锥部和下锥部大小通常相等，上锥部半球形，有时略大于下锥部。横沟明显左旋，纵沟向上明显伸入上锥部，向下渐宽，但不达到下锥部末端。两块底板大小相等或不等；板片厚，具窝孔纹；板间带常很宽，具横纹。色素体盘状、多个、褐色。细胞长和宽为 38 ～ 52（罕见达到 60）μm。

生境分布 绝大多数分布于海洋，淡水中较少分布。

标本采集地 白龙江关头坝。

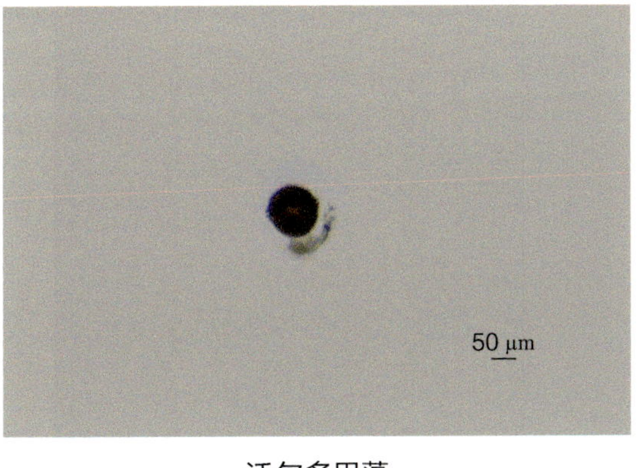

沃尔多甲藻

63. 坎宁顿拟多甲藻 *Peridiniopsis cunningtonii* Lemm.

分类 甲藻纲 Dinophyceae 多甲藻目 Peridiniales

多甲藻科 Peridiniaceae 拟多甲藻属 *Peridiniopsis*

形态特征 细胞卵形，背腹明显扁平，具顶孔。上锥部圆锥形，显著大于下锥部。横沟左旋，纵沟伸入上锥部，向下明显加宽，未达到下壳末端。上锥部具 6 块沟前板、1 块菱形板、2 块腹部顶板、2 块背部顶板；下锥部第 1 块、第 2 块、第 4 块、第 5 块沟后板各具 1 刺，2 块底板各具 1 刺；板片具网纹，板间带具横纹。色素体黄褐色。细胞宽 23 ～ 27.5 μm，长 28 ～ 32.5 μm，厚 17.5 ～ 22.5 μm。厚壁孢子卵形，壁厚。

生境分布 湖泊、池塘常见种类。

标本采集地 白龙江关头坝。

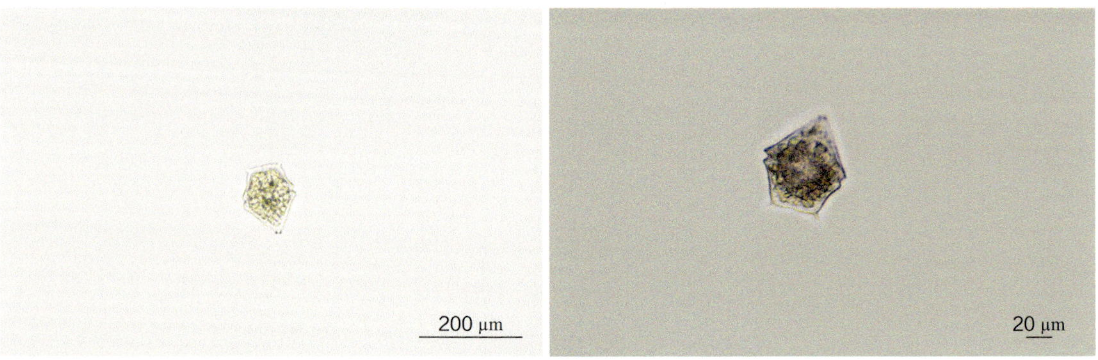

坎宁顿拟多甲藻

64. 角甲藻 *Ceratium hirundinella*（Müll.）Schr.

分类 甲藻纲 Dinophyceae 多甲藻目 Peridiniales

角甲藻科 Ceratiaceae 角甲藻属 *Ceratium*

形态特征 细胞背腹显著扁平。顶角狭长，平直而尖，具顶孔。底角 2 ～ 3 个，放射状，末端多数尖锐，平直，或呈各种形式的弯曲。有些类型其角或多或少地向腹侧弯曲。横沟几乎呈环状，极少呈左旋的或右旋的，纵沟不伸入上壳，较宽，几乎达到下壳末端。壳面具粗大的窝孔纹，孔纹间具短的或长的棘。色素体多数，圆盘状周生，黄色至暗褐色。细胞长 90 ～ 450 μm。

生境分布 分布极广，为湖泊、池塘中的常见种类。

标本采集地 黄河干流刘家峡水库。

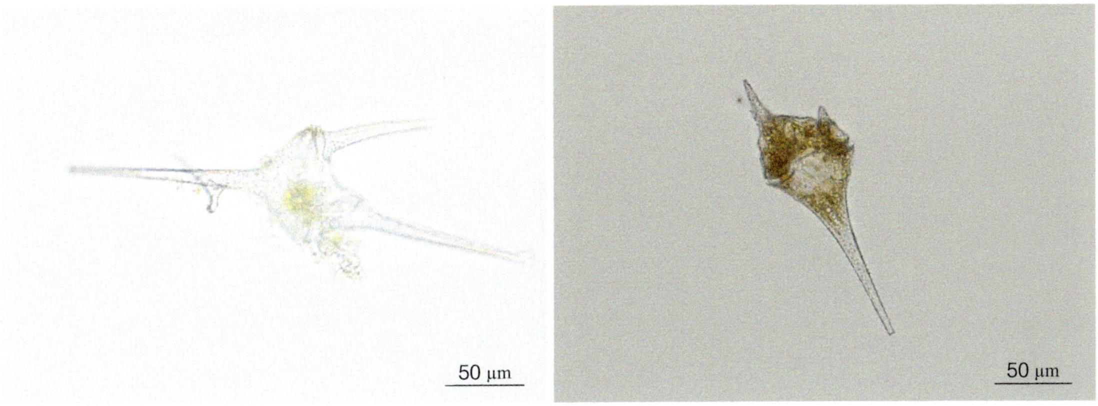

角甲藻

裸藻门 Euglenophyta

65. 绿裸藻 *Euglena viridis* Ehr.

分类 裸藻纲 Euglenophyceae 裸藻目 Euglenales
裸藻科 Euglenaceae 裸藻属 *Euglena*

形态特征 细胞易变形，常为纺锤形或圆柱状纺锤形，前端圆形或斜截形，后端渐尖呈尾状。表质具自左向右的螺旋线纹，细密而明显。色素体星形，单个，位于核的中部，具多个放射状排列的条带，长度不等，中央具副淀粉粒的蛋白核，蛋白核较小。副淀粉粒卵形或椭圆形，多数，大多集中在蛋白核周围。核常后位。鞭毛长为体长的 1 ～ 4 倍。眼点明显，多呈盘形。细胞长 31 ～ 52 μm，宽 14 ～ 26 μm。

生境分布 多生于各种有机质丰富的小型静止水体中，大量繁殖时形成膜状水华。

标本采集地 黄河干流刘家峡水库。

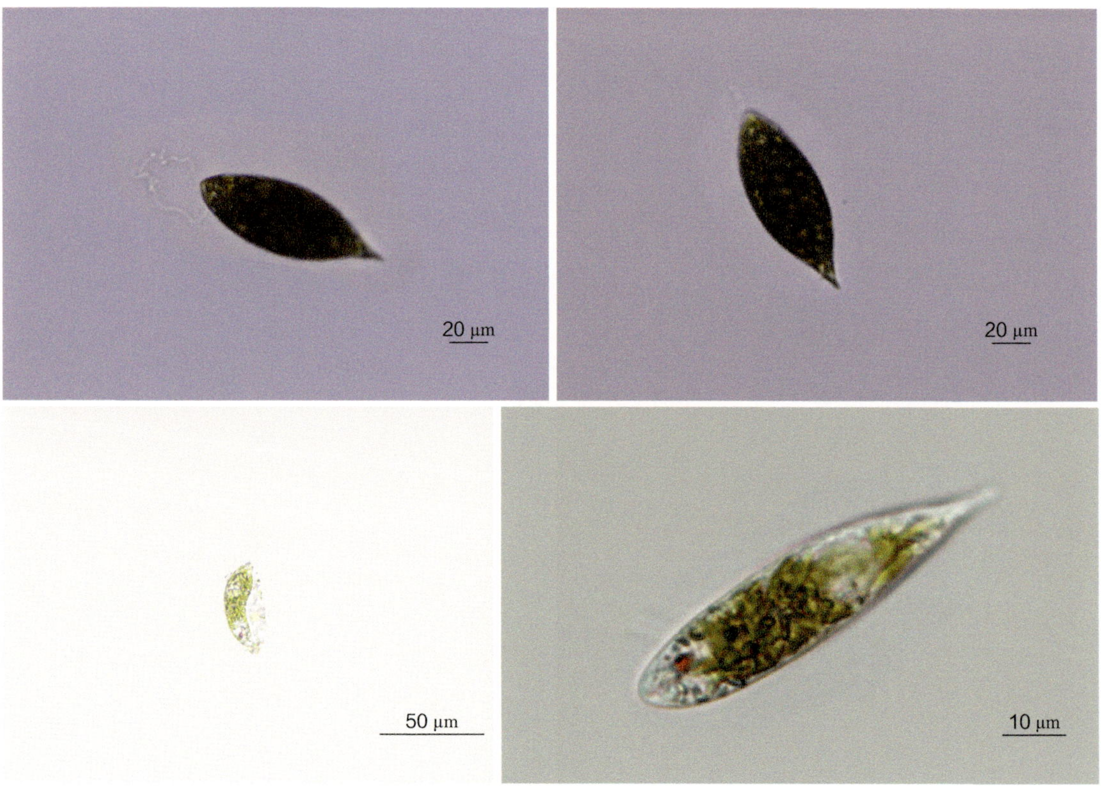

绿裸藻

66. 膝曲裸藻 *Euglena geniculata* Duj.

分类 裸藻纲 Euglenophyceae 裸藻目 Euglenales

裸藻科 Euglenaceae 裸藻属 *Euglena*

形态特征 细胞易变形，常为纺锤形至近圆柱形，前端圆形或斜截形，后端渐尖呈尾状或具短而钝的尾状突起。表质具自左向右的螺旋线纹。色素体星形，2 个，分别位于核的前后两端，每个星形色素体由多个条带状色素体辐射排列而成，中央为 1 个带副淀粉粒的蛋白核。副淀粉粒小颗粒状，大多集中于蛋白核周围，少数分散于细胞中。核中位。鞭毛长约与体长相等。眼点明显，细胞长 33 ～ 80 μm，宽 8 ～ 21 μm。

生境分布 多生于各种小型静止水体中，有时可形成膜状水华。

标本采集地 黄河干流刘家峡水库。

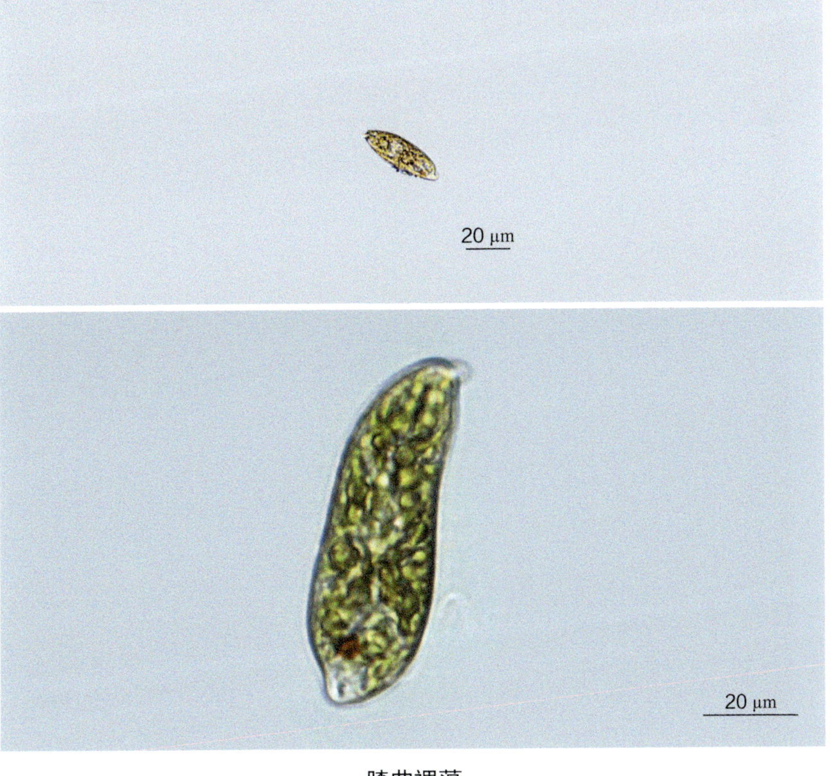

膝曲裸藻

67. 旋转囊裸藻 *Trachelomonas volvocina* Ehr.

分类 裸藻纲 Euglenophyceae 裸藻目 Euglenales
裸藻科 Euglenaceae 囊裸藻属 *Trachelomonas*

形态特征 囊壳球形；表面光滑；黄色、黄褐色或红褐色，略透明。鞭毛孔有或无环状加厚圈，少数具低领。色素体 2 个，片状，相对侧生，各具 1 个带副淀粉鞘的蛋白核。鞭毛长为体长的 2 ～ 3 倍。囊壳直径 10 ～ 25 μm。

生境分布 常在静水水体和缓流的淡水中出现。

标本采集地 黄河干流刘家峡水库。

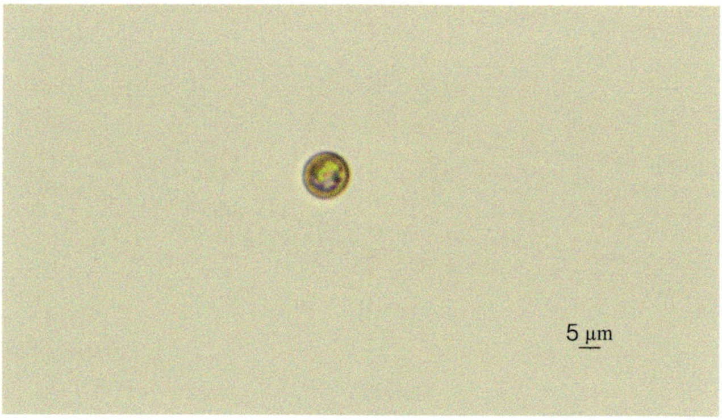

旋转囊裸藻

绿藻门 Chlorophyta

68. 星芒衣藻 *Chlamydomonas stellata* Dill.

分类 绿藻纲 Chlorophyceae 团藻目 Volvocales

衣藻科 Chlamydomonadaceae 衣藻属 *Chlamydomonas*

形态特征 细胞广椭圆形或略呈倒卵形，基部圆形；细胞壁柔软。细胞前端中央具 1 个小的、钝圆的乳头状突起，具 2 条等长的鞭毛，基部具 2 个伸缩泡。色素体大，星状，从细胞中央放射状辐射出许多楔形的小片，色素体纵断面呈“H”形，近细胞基部具 1 个薄的色素体片且贴近细胞壁，横断面为星状，从中央向四周放射状辐射出数个楔形的小片，细胞中部具 1 个横的卵形的蛋白核。眼点大，长椭圆形，位于细胞前端 1/4 处。细胞宽 10 ～ 21 μm，长 17 ～ 24 μm。

生境分布 喜生于较浅的肥沃水体中。

标本采集地 黄河干流刘家峡水库。

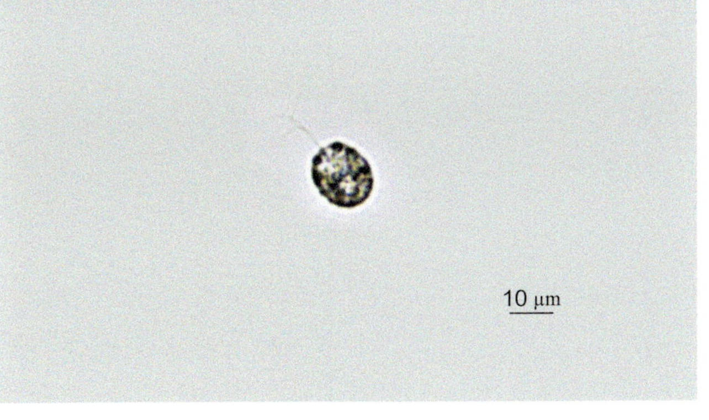

星芒衣藻

69. 球四鞭藻 *Carteria globosa* Korsch.

分类 绿藻纲 Chlorophyceae 团藻目 Volvocales

衣藻科 Chlamydomonadaceae 四鞭藻属 *Carteria*

形态特征 细胞球形，细胞壁柔软。细胞前端中央无乳头状突起，具 4 条等长的、等于或略长于体长的鞭毛，基部具 2 个伸缩泡。色素体杯状，基部明显增厚，达到细胞的中部，近基部具 1 个近似球形的蛋白核。眼点大、点状，位于细胞前端或中部略偏于前端的侧面。细胞核位于细胞近中央偏前端。细胞直径 10 ～ 28 μm。

生境分布　一般生长在静水小水体中，特别喜爱冷水性环境。

标本采集地　黄河干流刘家峡水库。

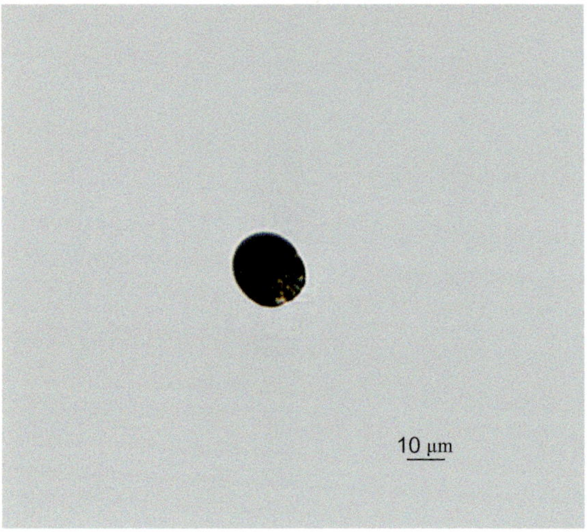

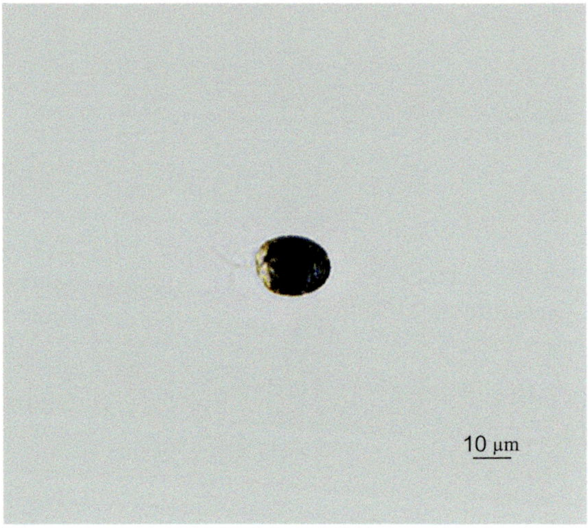

球四鞭藻

70. 透镜壳衣藻 *Phacotus lenticularis*（Ehr.）Stein

分类　绿藻纲 Chlorophyceae　团藻目 Volvocales

　　壳衣藻科 Phacotaceae　壳衣藻属 *Phacotus*

形态特征　细胞纵扁。囊壳正面观近圆形，侧面观双凸透镜形。囊壳由 2 个对称的半片组成，半片接合处具 1 条纵向的缝线；囊壳常呈褐色，表面粗糙，具大小不等的颗粒。原生质体小于囊壳，除前端贴近囊壳外，其间的空隙充满胶状物质；原生质体卵形，2 条等长的、略长于体长的鞭毛从囊壳前端的 1 个开孔伸出，基部具 2 个伸缩泡。色素体杯状，基部加厚处具 1 个近圆形的蛋白核。眼点位于细胞近前端约 1/4 处。细胞核位于细胞近中央偏前端。细胞宽 18 ～ 20 μm，长 20 μm，厚 11 μm；原生质体宽 14 μm，长 17 μm，厚 9 μm。

生境分布　富营养型水体和小水体。

标本采集地　黄河干流甘肃农业大学附近。

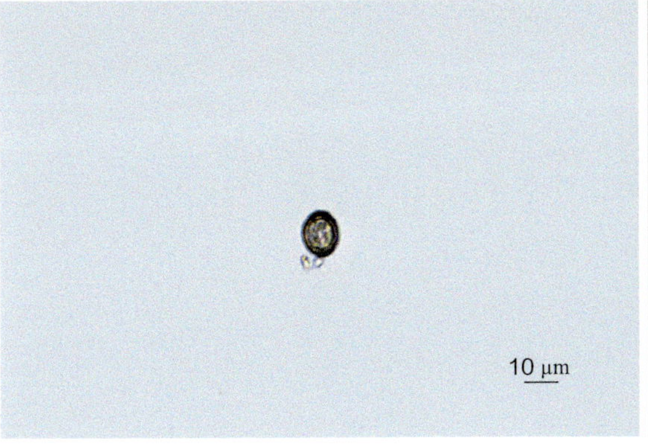

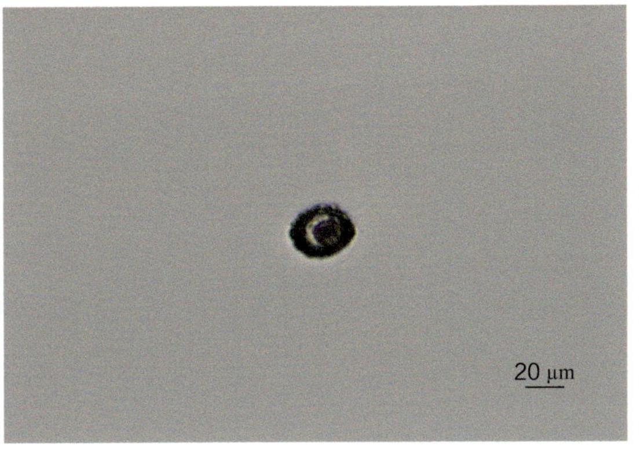

透镜壳衣藻

71. 空球藻 *Eudorina elegans* Ehr.

分类 绿藻纲 Chlorophyceae 团藻目 Volvocales
团藻科 Volvocaceae 空球藻属 *Eudorina*

形态特征 群体具胶被，球形或卵形，由 16 个、32 个、64 个（常为 32 个）细胞组成。群体细胞彼此分离，排列在群体胶被周边，群体胶被表面平滑。细胞球形，壁薄，前端向群体外侧，中央具 2 条等长的鞭毛，基部具 2 个伸缩泡。色素体大、杯状；有时充满整个细胞，具数个蛋白核。眼点位于细胞近前端一侧。群体直径 50 ～ 200 μm；细胞直径 10 ～ 24 μm。

生境分布 多分布于有机质丰富的小水体或湖泊中。

标本采集地 黄河干流刘家峡水库。

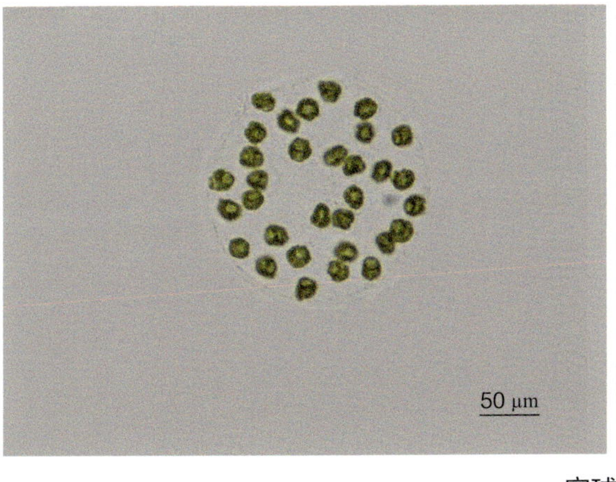

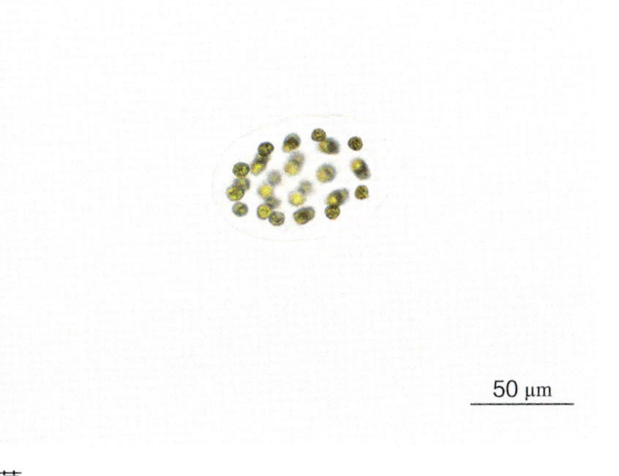

空球藻

72. 实球藻 *Pandorina morum*（Müll.）Bory.

分类　绿藻纲 Chlorophycea　团藻目 Volvocales

团藻科 Volvocaceae　实球藻属 *Pandorina*

形态特征　群体球形或椭圆形，由 4 个、8 个、16 个、32 个细胞组成。群体胶被边缘狭；群体细胞互生紧贴在群体中心，常无空隙，仅在群体中心有小的空间。细胞倒卵形或楔形，前端钝圆，向群体外侧，后端渐狭。前端中央具 2 条等长的、约为体长 1 倍的鞭毛，基部具 2 个伸缩泡。色素体杯状，在基部具 1 个蛋白核。眼点位于细胞的近前端一侧。群体直径为 20 ～ 60 μm；细胞直径为 7 ～ 17 μm。

生境分布　多分布于有机质丰富的小水体或湖泊中。

标本采集地　黄河干流刘家峡水库。

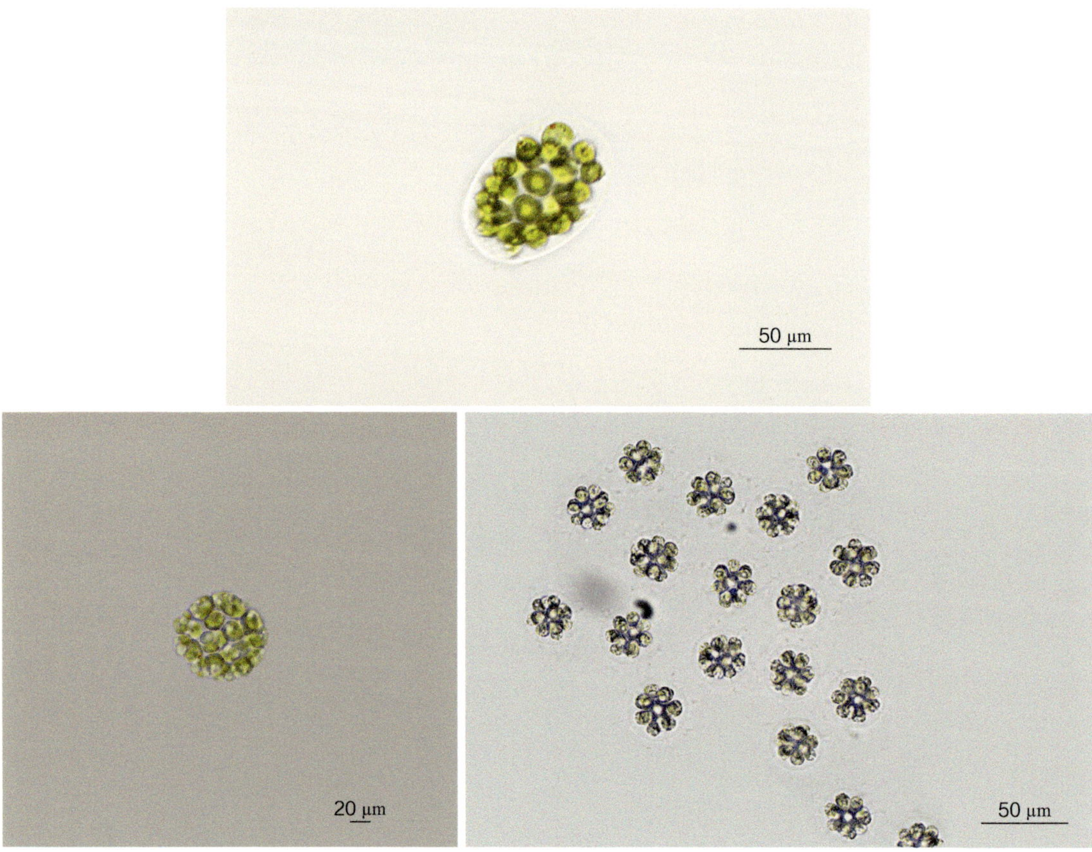

实球藻

73. 杂球藻 *Pleodorina californica* Shaw.

分类 绿藻纲 Chlorophyceae 团藻目 Volvocales
团藻科 Volvocaceae 杂球藻属 *Pleodorina*

形态特征 群体具胶被，球形，由 64 ~ 128 个细胞组成。群体细胞彼此分离，排列在群体胶被周边。群体一端约一半的细胞较小，为营养细胞；另一端的细胞较大，为生殖细胞。细胞球形，前端中央具 2 条等长的鞭毛，基部具 2 个伸缩泡。色素体杯状，基部具 1 个蛋白核。眼点位于细胞的近前端的一侧。群体直径为 250 ~ 450 μm；营养细胞直径为 4 ~ 15 μm，生殖细胞直径为 12.5 ~ 27 μm。

生境分布 常分布于温带浅水湖泊和池塘中，多出现在肥沃的小水体中。

标本采集地 白龙江碧口水库。

杂球藻

74. 小球藻属未定种 *Chlorella* sp.

分类 绿藻纲 Chlorophyceae 绿球藻目 Chlorococcales
小球藻科 Chlorellaceae 小球藻属 *Chlorella*

形态特征 单细胞或有时数个细胞聚集在一起。细胞球形，幼时常为椭圆形或长椭圆形；细胞壁薄。色素体杯状，1 个，占细胞的一半或稍多，具 1 个蛋白核，有时不明显。细胞直径为 5 ~ 10 μm。

生境分布 大多生活于肥沃的淡水或潮湿的土壤、岩石或树干上，少数分布于海洋。

标本采集地　白龙江碧口水库。

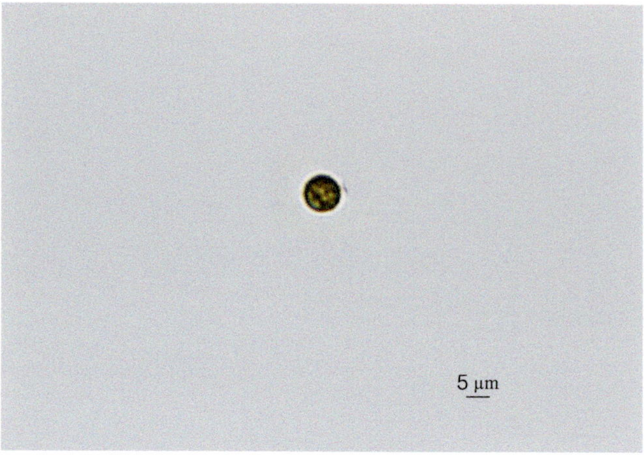

小球藻属未定种

75. 卵囊藻属未定种 *Oocystis* sp.

分类　绿藻纲 Chlorophyceae　绿球藻目 Chlorococcales

卵囊藻科 Oocystaceae　卵囊藻属 *Oocystis*

形态特征　植物体为群体，群体常由 4 个、8 个或 16 个细胞组成，包被在部分胶化膨大的母细胞壁中。细胞形态多呈椭圆形、卵形、纺锤形或长圆形等；细胞壁多为平滑，色素体周生 1 个或多个，呈片状、多角形块状或不规则盘状，每个色素体具 1 个蛋白核或缺乏蛋白核。

生境分布　常分布于有机质丰富的小水体和浅水湖泊中。

标本采集地　黄河干流刘家峡水库。

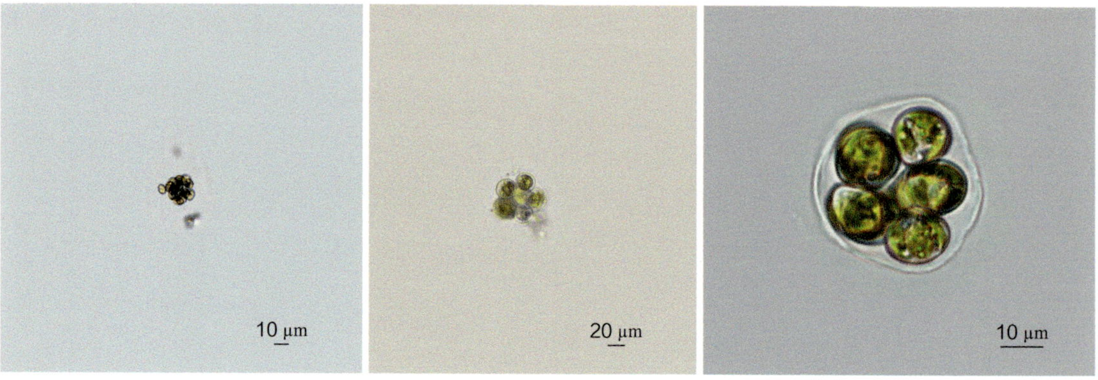

卵囊藻属未定种

76. 胶状浮球藻 *Planktosphaeria gelatinosa* G. M. Smith

分类 绿藻纲 Chlorophyceae 绿球藻目 Chlorococcales

卵囊藻科 Oocystaceae 浮球藻属 *Planktosphaeria*

形态特征 群体细胞不规则、紧密地排列在群体胶被内。细胞球形，具透明均匀的胶被。成熟后色素体分散为多角形或盘状，每个色素体具 1 个蛋白核。细胞直径 10 ～ 25 μm；胶被厚可达 35 μm。

生境分布 为湖泊、池塘中的常见种类。

标本采集地 黄河干流刘家峡水库。

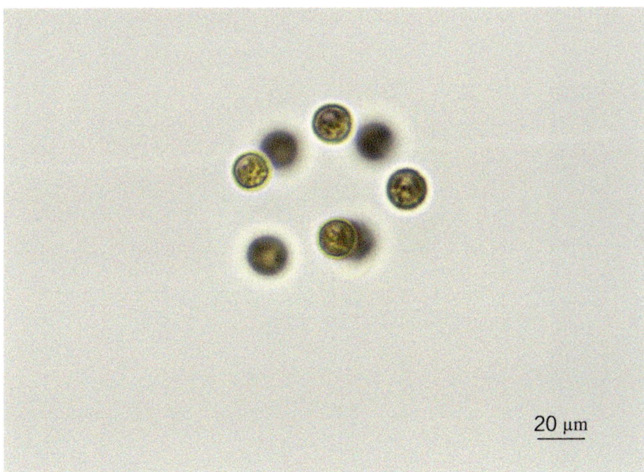

胶状浮球藻

77. 柯氏并联藻 *Quadrigula chodatii*（Tanner-Fullman）G. M. Smith

分类 绿藻纲 Chlorophyceae 绿球藻目 Chlorococcales

卵囊藻科 Oocystaceae 并联藻属 *Quadrigula*

形态特征 群体为宽纺锤形，由 4 个、8 个或更多的细胞聚集在透明的胶被内，细胞的长轴与群体长轴平行排列，浮游；细胞长纺锤形到近月形，直或略弯曲，两端逐渐尖细，末端略尖，色素体周生、片状，1 个，在细胞中部略凹入，具 2 个蛋白核。细胞长 18 ～ 80 μm，宽 2.5 ～ 7 μm。

生境分布 生长于池塘、浅水湖泊中。

标本采集地 黄河干流刘家峡水库。

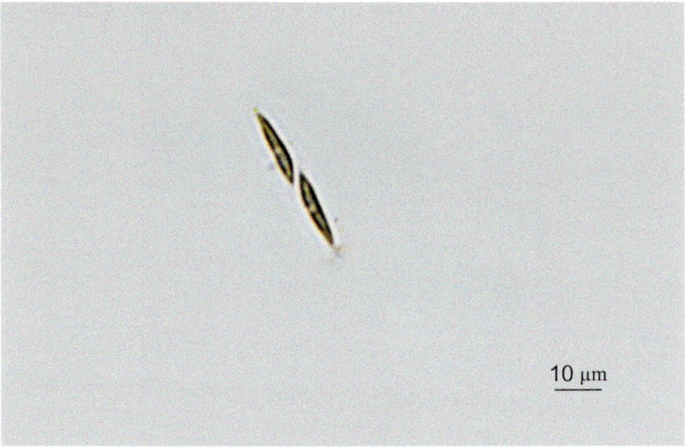

柯氏并联藻

78. 双对栅藻 *Scenedesmus bijuga*（Turp.）Lag.

分类 绿藻纲 Chlorophyceae 绿球藻目 Chlorococcales
栅藻科 Scenedesmaceae 栅藻属 *Scenedesmus*

形态特征 定形群体扁平，由 2 个、4 个、8 个细胞所组成，各细胞排列成一直线（偶尔有交错排列的）。细胞卵形，长椭圆形，两端宽圆。细胞壁平滑。4 个细胞的群体宽 16 ～ 25 μm；细胞长 7 ～ 18 μm，宽 4 ～ 6 μm。

生境分布 分布极广，各种静止水体中均有分布。

标本采集地 黄河干流刘家峡水库。

双对栅藻

79. 四尾栅藻 *Scenedesmus quadricauda*（Turp.）Breb.

分类 绿藻纲 Chlorophyceae 绿球藻目 Chlorococcales

栅藻科 Scenedesmaceae 栅藻属 *Scenedesmus*

形态特征 群体扁平，由 2 个、4 个、8 个、16 个细胞组成，常为 4 个、8 个细胞组成的，群体细胞并列直线排成一列；细胞长圆形、圆柱形、卵形，细胞上下两端广圆，群体外侧细胞的上下两端各具一向外斜向的直或略弯曲的刺，细胞壁平滑。4 个细胞的群体宽 14 ～ 24 μm；细胞长 8 ～ 16 μm，宽 3.5 ～ 6 μm。

生境分布 分布极广，各种静止水体中均有分布。尤以池塘、浅水湖泊常见。

标本采集地 白龙江、黄河干流、天水渭河。

四尾栅藻

80. 单角盘星藻 *Pediastrum simplex* Mey.

分类 绿藻纲 Chlorophyceae 绿球藻目 Chlorococcales

盘星藻科 Pediastraceae 盘星藻属 *Pediastrum*

形态特征 群体由 16 个、32 个或 64 个细胞组成，群体细胞间无穿孔；群体缘边细胞常为五边形，其外壁具 1 个圆锥形的角状突起，突起两侧凹入，群体内层细胞五边形或六边形，细胞壁常具颗粒。细胞（不包括角状突起）长 12 ～ 18 μm，宽 12 ～ 18 μm。

生境分布 为池塘、湖泊中常见的真性浮游种类。

标本采集地 黄河干流。

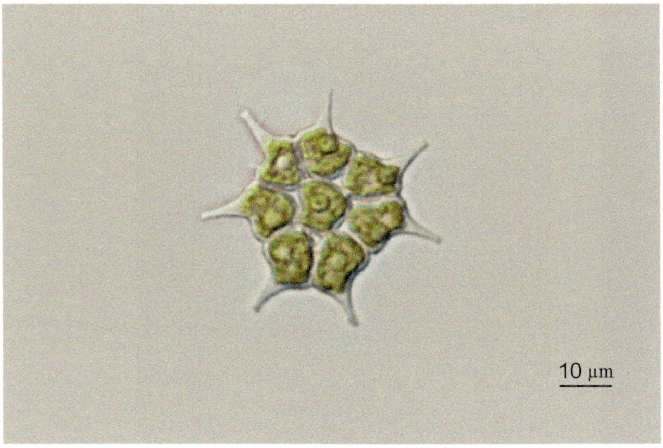

单角盘星藻

81. 单角盘星藻具孔变种 *Pediastrum simplex* var. *duodenarium*（Bail.）Rabenh.

分类 绿藻纲 Chlorophyceae 绿球藻目 Chlorococcales

盘星藻科 Pediastraceae 盘星藻属 *Pediastrum*

形态特征 此变种与原种的不同为群体细胞间具穿孔；群体细胞内层呈三角形。细胞长 27 ～ 28 μm，宽 11 ～ 15 μm。

生境分布 为湖泊水体中的真性浮游种类。

标本采集地 黄河干流。

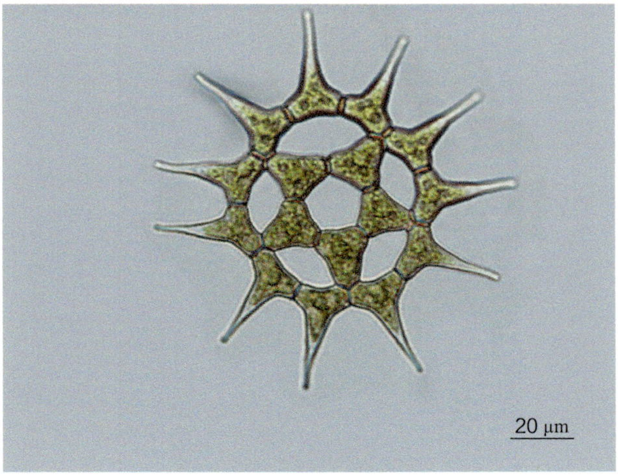

单角盘星藻具孔变种

82. 短棘盘星藻 *Pediastrum boryanum*（Turp.）Men.

分类 绿藻纲 Chlorophyceae 绿球藻目 Chlorococcales

盘星藻科 Pediastraceae 盘星藻属 *Pediastrum*

形态特征 群体由 4 个、8 个、16 个、32 个或 64 个细胞组成，群体无穿孔。群体细胞五边形或六边形；缘边细胞外壁具 2 个钝的角状突起，以细胞侧壁和基部与邻近细胞连接。细胞壁具颗粒。细胞长 15 ～ 21 μm，宽 10 ～ 14 μm。

生境分布 分布广，为湖泊、池塘、沼泽常见的浮游种类。

标本采集地 白龙江关头坝。

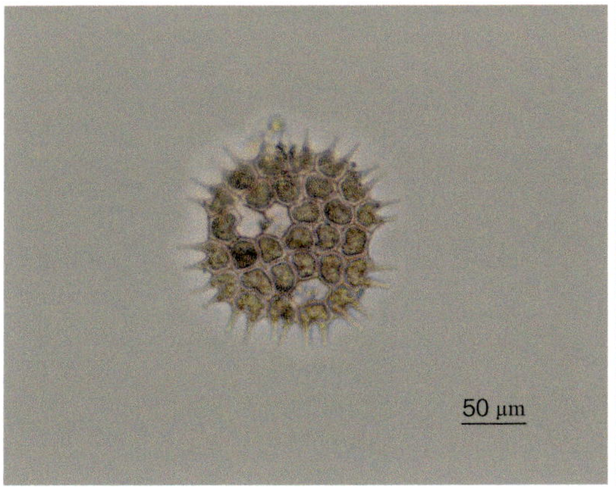

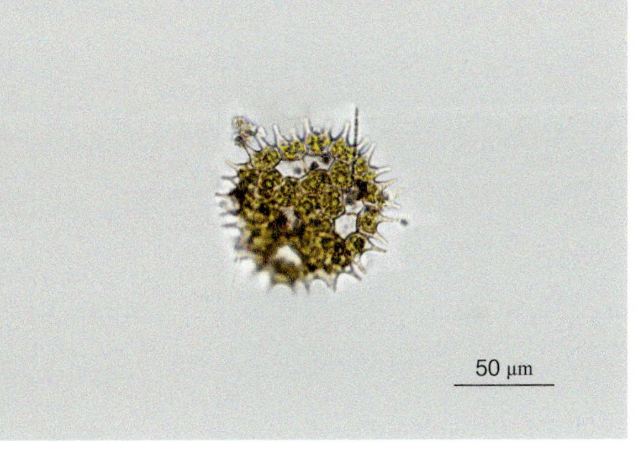

短棘盘星藻

83. 双射盘星藻 *Pediastrum biradiatum* Mey.

分类 绿藻纲 Chlorophyceae 绿球藻目 Chlorococcales

盘星藻科 Pediastraceae 盘星藻属 *Pediastrum*

形态特征 群体由 4 个、8 个、16 个、32 个或 64 个细胞组成，具穿孔。外层细胞具 2 个裂片状的突起，突起末端具缺刻；以细胞基部与邻近细胞连接。内层细胞具 2 个裂片状突起，突起末端不具缺刻，细胞壁凹入，平滑。细胞宽 10 ～ 22 μm，长 15 ～ 30 μm。

生境分布 分布广，各类淡水水体中均可见。

标本采集地 黄河干流刘家峡水库。

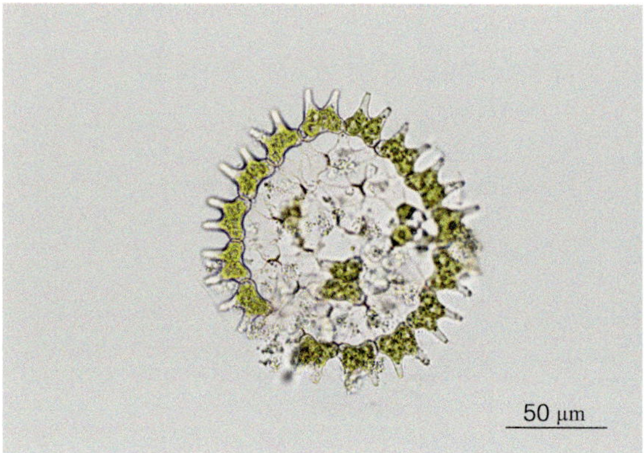

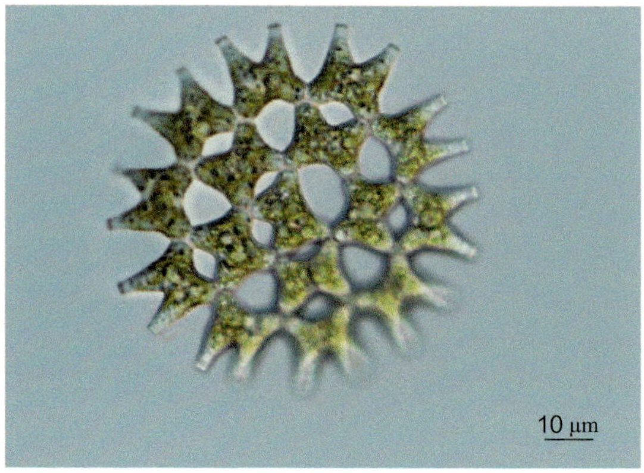

双射盘星藻

84. 小毛枝藻 *Stigeoclonium tenue*（Ag.）Kütz.

分类 绿藻纲 Chlorophyceae 丝藻目 Ulotrichales

胶毛藻科 Chaetophoraceae 毛枝藻属 *Stigeoclonium*

形态特征 植物体鲜绿色，垫状，丛生，大多数高几毫米到几厘米。直立枝很丰富，分枝简单，互生或对生，分枝常从具角的较小的细胞长出。主枝细胞圆柱形，略缢缩，宽 6 ～ 15（常为 10 ～ 12）μm，长为宽的 2 ～ 5（～ 6）倍；渐尖，罕见呈细毛状，通常无长毛。植物体上部次级分枝短，散生或互生或为细长的丛状。色素体充满整个小细胞，仅占长细胞的中部部分。匍匐枝有时呈胶团状，或具丰富的假根。

生境分布 常生长在溪沟等小水体中。

标本采集地 白龙江关头坝。

小毛枝藻

85. 刚毛藻属未定种 *Cladophora* sp.

分类 绿藻纲 Chlorophyceae 丝藻目 Ulotrichales

胶毛藻科 Chaetophoraceae 刚毛藻属 *Cladophora*

形态特征 植物体幼体着生，长成后可漂浮生活。分枝丰富，具顶端和基部的分化。分枝为互生型、对生型，或有时为双叉型、三叉型；分枝宽度小于主枝，或至少其顶端略细小。细胞圆柱形或膨大；多数种类壁厚，分层。具多个周生、盘状的色素体和多个蛋白核。营养繁殖为藻丝的断裂作用。无性生殖形成动孢子。

生境分布 在淡水、海水或流水、静水等各种水体中分布很广。

标本采集地 白龙江碧口水库。

刚毛藻属未定种

86. 中型新月藻 *Closterium intermedium* Ralfs.

分类 双星藻纲 Zygnematophyceae 鼓藻目 Desmidiales

鼓藻科 Desmidiaceae 新月藻属 *Closterium*

形态特征 细胞中等大小，新月形，长为宽的 12 ～ 15 倍，中度弯曲，腹缘中部不膨大，有时平直，向顶部逐渐狭窄，顶端平直圆形。细胞壁灰黄色或淡黄褐色，具中间环带，具 8 ～ 10 条粗而明显的纵线纹。每个半细胞具 1 个色素体，大约由 6 个纵长脊片组成，中轴具 1 列蛋白核，5 ～ 8 个；末端液泡具 1 个大的或数个小的运动颗粒。细胞宽 16 ～ 31 μm，长 234 ～ 465 μm，顶部宽 10 ～ 14 μm。

生境分布 为淡水种，喜生于软水中，常分布于湖泊沿岸带和沼泽中的水生维管束植物的体表上。

标本采集地 白龙江关头坝。

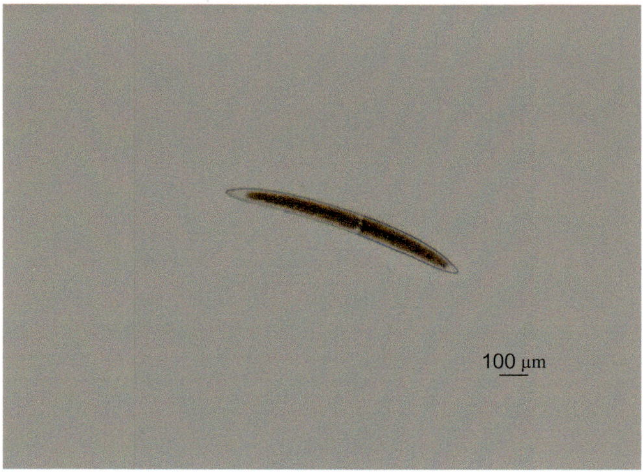

中型新月藻

87. 锐新月藻 *Closterium acerosum*（Schrank.）Ehr.

分类 双星藻纲 Zygnematophyceae 鼓藻目 Desmidiales
鼓藻科 Desmidiaceae 新月藻属 *Closterium*

形态特征 细胞大，狭长纺锤形，长为宽的 7 ~ 16 倍；背缘略弯曲，呈 50° ~ 100° 的弓形弧度，腹缘近平直或略凸，其后向顶部逐渐狭窄呈圆锥形，顶端狭成截圆形，常略增厚。细胞壁平滑，无色，较成熟的细胞呈淡黄褐色；并具很难可见的线纹，10 μm 中约 10 条，具中间环带。色素体脊状，中轴具一纵裂蛋白核，5 ~ 29 个，末端液泡含数个运动颗粒。细胞长 260 ~ 682 μm，宽 32 ~ 85 μm；顶部宽 4 ~ 13 μm。

生境分布 为淡水种，喜生于软水中，常分布于湖泊沿岸带和沼泽中的水生维管束植物的体表上。

标本采集地 白龙江碧口水库。

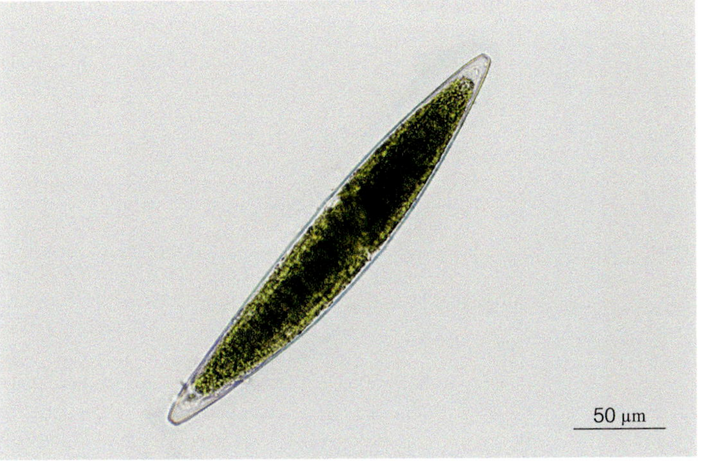

锐新月藻

88. 美纹水绵 *Spirogyra pulchrifigurata* Jao.

分类 双星藻纲 Zygnemaphyceae 双星藻目 Zygnematales

双星藻科 Zygnemataceae 水绵属 *Spirogyra*

形态特征 营养细胞长 58 ~ 275 μm，宽 38 ~ 58 μm。横壁平直。色素体 2 ~ 5 条，旋绕 1.5 ~ 5 转；梯形接合。接合管由雌雄配子囊构成。接合孢子囊膨大，宽可达 73 μm，有时缩短。接合孢子椭圆形，两端略钝圆；长 60 ~ 109 μm，宽 40 ~ 75 μm。孢壁 3 层；中孢壁具不规则的粗网纹，成熟后黄褐色。

生境分布 常见于淡水的浅水、小水体中。

标本采集地 白龙江碧口水库。

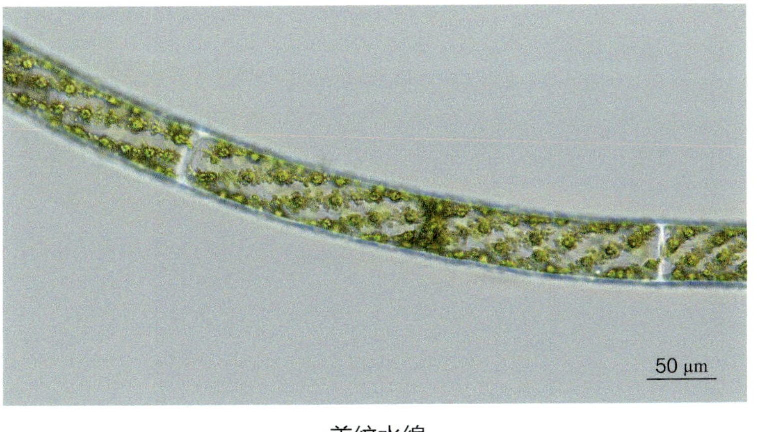

美纹水绵

89. 韦氏水绵 *Spirogyra weberi* Kütz.

分类 双星藻纲 Zygnemaphyceae 双星藻目 Zygnematales

双星藻科 Zygnemataceae 水绵属 *Spirogyra*

形态特征 营养细胞宽 20 ～ 30 μm，长 65 ～ 375 μm。细胞横壁折叠型。色素体 1 条，旋绕 2 ～ 6 转。梯形接合。接合管由雌雄两配子囊构成。雌配子囊常略胀大。接合孢子卵形、长卵形、椭圆形，两端圆，宽 26 ～ 32 μm，长（32 ～）40 ～ 90 μm，中孢壁平滑，成熟时黄色。静孢子球形、近球形或卵形，宽 25 ～ 35 μm，长 32 ～ 67 μm。

生境分布 在浅水、小水体中常见。

标本采集地 白龙江碧口水库。

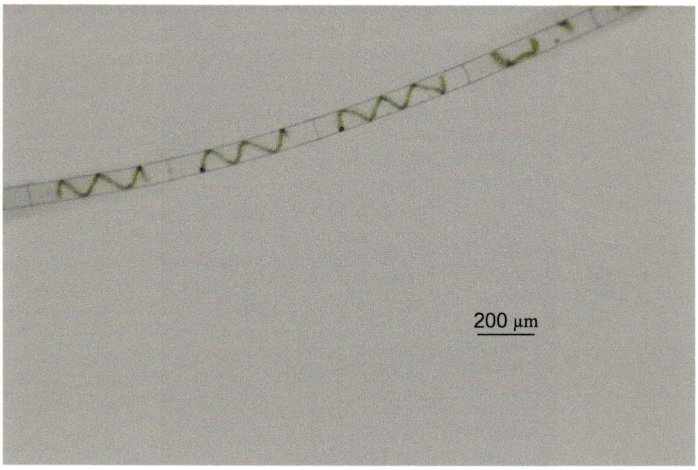

韦氏水绵

Chapter 2

Zooplankton

第二章

浮游动物

原生动物 Protozoa

1. 普通表壳虫 *Arcella vulgaris* Ehr.

分类 肉足虫纲 Sarcodina 表壳目 Arcellinida
表壳科 Arcellidae 表壳虫属 *Arcella*

形态特征 背腹面观圆形似表盖。壳高约为其直径的 1/2。伪足呈指状，5 ~ 6 个。伸缩泡 4 ~ 6 个。细胞核 2 个。壳直径 100 ~ 150 μm，壳高 50 ~ 75 μm，壳孔直径 30 ~ 45 μm。

生境分布 分布广，为世界性种类。分布于沼泽、池塘、浅水湖泊及溪流或河道，多在沉水植物丰富区出现。

标本采集地 黄河干流甘肃农业大学附近。

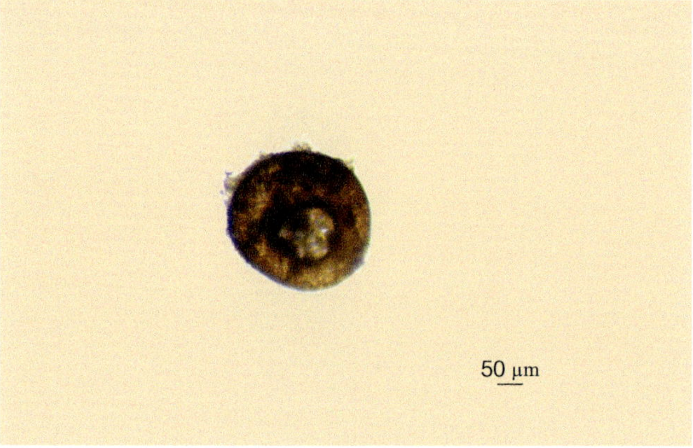

普通表壳虫

2. 长圆砂壳虫 *Difflugia oblonga* Ehr.

分类 肉足虫纲 Sarcodina 表壳目 Arcellinida
砂壳科 Difflugiidae 砂壳虫属 *Difflugia*

形态特征 壳长圆形，壳向壳口处收缩，略呈颈状，壳后部肥圆，壳口较狭。壳上覆盖许多砂粒。壳长 110 ~ 240 μm，壳宽 45 ~ 92 μm，壳口宽 19 ~ 45 μm。

生境分布 主要分布于大型湖泊或深水水库中，为寡污带常见种。

标本采集地 白龙江碧口水库。

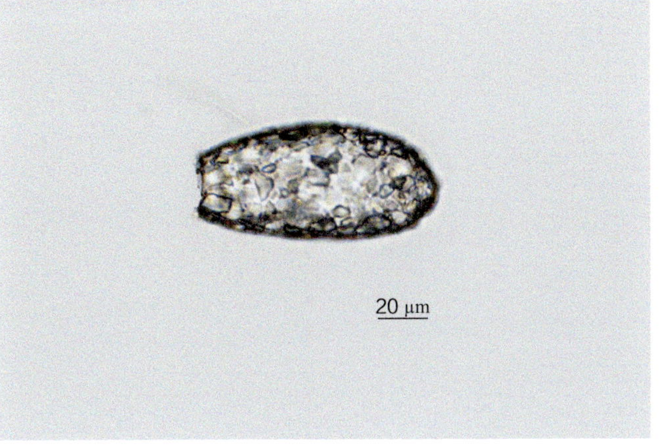

长圆砂壳虫

3. 球形砂壳虫 *Difflugia globulosa* Dujardin

分类 肉足虫纲 Sarcodina 表壳目 Arcellinida

砂壳科 Difflugiidae 砂壳虫属 *Difflugia*

形态特征 壳除了表面的几丁质膜外，其外还黏附由他生质体（如矿物屑、岩屑、硅藻空壳等颗粒）构成的表层，而且颗粒很多，以至于壳面粗糙而不透明。壳呈球形。口在壳体的一端，位于主轴正中。伪足为指状。虫体长 27 ~ 92 μm，宽 24 ~ 81μm。

生境分布 分布在淡水的池塘、湖泊、沼泽、水库等地。

标本采集地 黄河干流刘家峡水库。

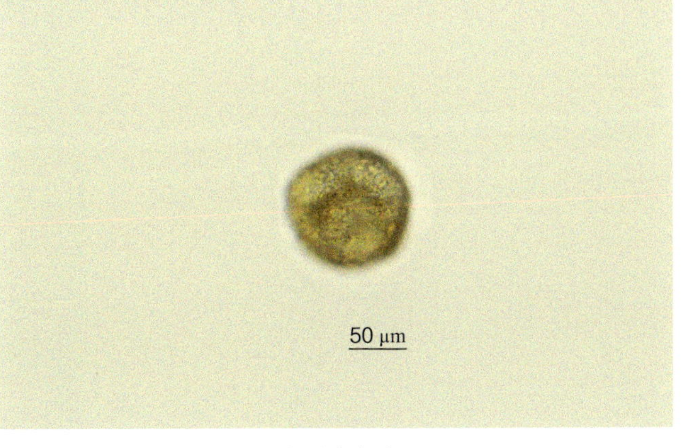

球形砂壳虫

4. 王氏拟铃虫 *Tintinnopsis wangi* Nie.

分类 纤毛纲 Ciliata 旋毛目 Stylonychia

铃壳科 Codonellidae 拟铃壳虫属 *Tintinnopsis*

形态特征 虫体外具壳，呈杯形或碗形，壳上砂粒较细小，排列整齐。壳前部近 1/2 处往往有螺旋状条纹。

生境分布 在淡水中分布。在寡污性淡水水体中常见，常常成为南方大水库中的主要种类。

标本采集地 黄河干流甘肃农业大学附近。

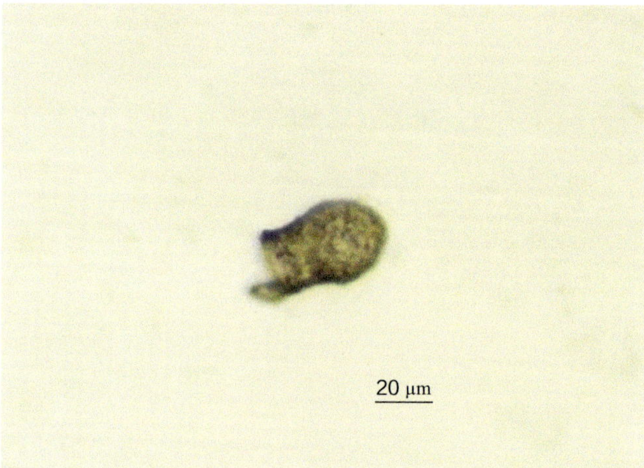

王氏拟铃虫

5. 侠盗虫属未定种 *Strobilidium* sp.

分类 纤毛纲 Ciliata 旋毛目 Stylonychia

侠盗科 Strobilidiidae 侠盗虫属 *Strobilidium*

形态特征 体小，身体呈梨形或萝卜形。体表有 5 ～ 6 行螺旋纹。围绕胞口的口区为一圈单层的长纤毛，身体其他部分无纤毛。体前部有 1 个马蹄形大核。后部 1/3 处有 1 个伸缩泡。

生境分布 在淡水、咸水中均有分布。在静止的淡水小池塘中常见。

标本采集地 黄河干流刘家峡水库。

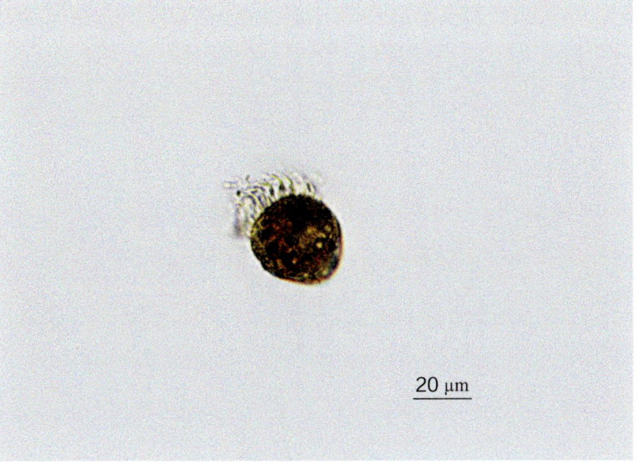

侠盗虫属未定种

6. 映毛虫属未定种 *Cinetochilum* sp.

分类 纤毛纲 Ciliata 旋毛目 Stylonychia
映毛科 Cinetochilidae 映毛虫属 *Cinetochilum*

形态特征 体小，扁平，呈圆盘形，前端圆，末端略平截。胞口在后半部右侧，两侧各有 1 片膜。体纤毛仅限于腹面，稀，纤毛列呈马蹄形地围绕着胞口，口后区无纤毛。后端有 3 ～ 4 根尾纤毛。

生境分布 分布在自然水体和活性污泥中。

标本采集地 白龙江关头坝。

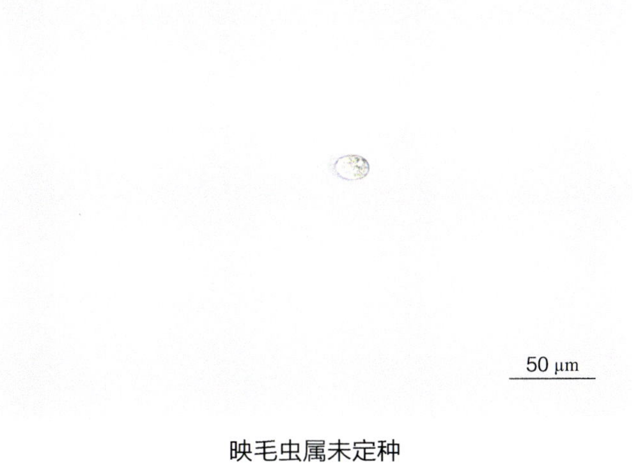

映毛虫属未定种

7. 草履虫属未定种 *Paramecium* sp.

分类 纤毛纲 Ciliata 膜口目 Hymenostomatida

草履科 Parameiidae 草履虫属 *Paramecium*

形态特征 体呈倒置草履形，断面圆或椭圆形。体大 100 ~ 300 μm。有非常发达显著的口沟，从口沟通到口前庭，再从口前庭经过胞口而进入胞咽。胞咽具有两片波动咽膜。全身均匀地布满体纤毛。表膜外质中有能放射出来的刺丝泡。

生境分布 主要分布在中污性和多污性水中或有机质丰富的水体中。

标本采集地 白龙江碧口水库。

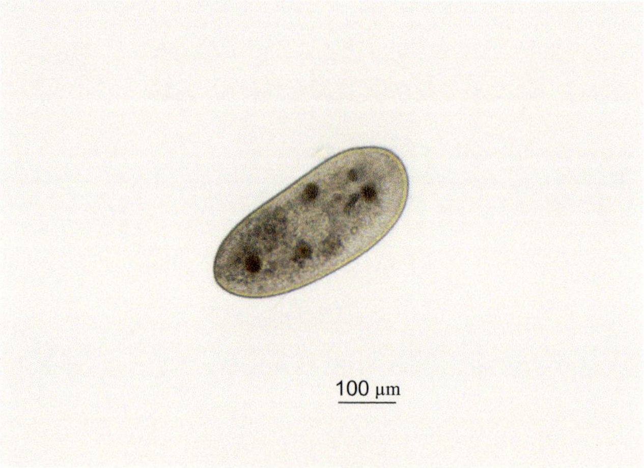

草履虫属未定种

8. 瓜形膜袋虫 *Cyclidium citrullus* Cohn.

分类 纤毛纲 Ciliata 全毛目 Holotricha

膜袋科 Cyclidiida 膜袋虫属 *Cyclidium*

形态特征 体略呈纺锤形。前端有一短的平截的前板，在此没有纤毛。后端也是平截的，唯平截的中间微凹，在此伸出尾纤毛。身体纤毛较长而稀，为撑开的。前面的（尤其是靠近波动膜一边）的体纤毛较密。后端尾纤毛附近的小区没有纤毛。在油镜下纤毛行列清楚，在口的左面是 3 行纤毛，右面是 4 行纤毛。口缘占体长的 2/3，进入胞口的地方是凹陷的，波动膜把胞口包围。大核圆而均质。小核贴近大核。伸缩泡在体后，微偏向腹线。行动时活泼跳动，但有停息时间。吃细菌及小的藻类，并形成食物泡，食物泡在体内循环，体内有时储藏食物晶体。

生境分布 自然界分布很广，喜在有水草的浅水区生活。

标本采集地 白龙江关头坝。

瓜形膜袋虫

9. 沟钟虫 *Vorticella convallaria* Linné.

分类 纤毛纲 Ciliata　缘毛目 Peritrichida

钟形科 Vorticellidae　钟虫属 *Vorticella*

形态特征 本体呈比较细长的钟形，但也有近似圆筒形的，少数比较粗壮，前端口围边缘较本体宽阔，后端则向柄逐渐细削。具有纤毛的口围盘大小和口围内缘相适应，极少突出在口围边缘之外。围裹外质的表膜上有相当明显的横纹，特别是在两侧更容易观察到。内质含有不少卵圆形的食泡，略呈黄色。伸缩泡 1 个，大而显著。大核呈带形，其前端往往弯向口围盘内。柄粗细适中，但相当长。柄内肌丝轴鞘上或多或少附有大小不同的微粒。很少单独生活，有时几十个甚至 100 个以上丛生在一起。游泳体呈粗壮的圆筒形，行动迅速。

生境分布 常在生化方法处理废水的活性污泥中出现。

标本采集地 白龙江关头坝。

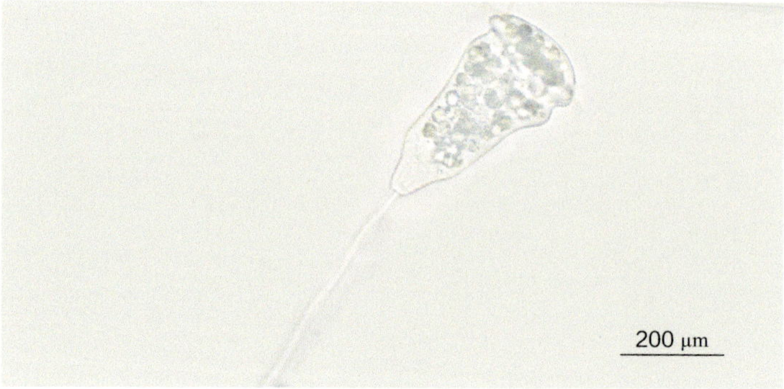

沟钟虫

10. 杯钟虫 *Vorticella cupifera* Kahj.

分类 纤毛纲 Ciliata 缘毛目 Peritrichida

钟形科 Vorticellidae 钟虫属 *Vorticella*

形态特征 本体近似圆球形，后端瘦削而形成一杯托，是本种的一个最主要的特征。杯托以上的“躯干”部分往往长宽相等，或长度少许超过宽度。最宽阔处位于“躯干”中部。口围大小适中，或多或少向外扩开，具有纤毛的口围盘略小于口围，少许突出在口围边缘之外。围裹外质的表膜上具有很密而很明显的横纹，容易观察到。内质呈乳白色，含有不少贮藏粒体。伸缩泡 1 个，位于前端靠近口前庭。大核呈较短的带形，两头弯转，横置在本体前半部。柄比较短，通常只有 2 倍于本体的长度，柄内肌丝轴鞘相当光滑，看不出有任何微粒附着在其上，在收缩时后端的杯托看不清楚。

生境分布 在自然水体中，往往着生在微囊藻的群体上，但也有着生在其他水生植物或碎岩砂粒等无机物质上。

标本采集地 白龙江关头坝。

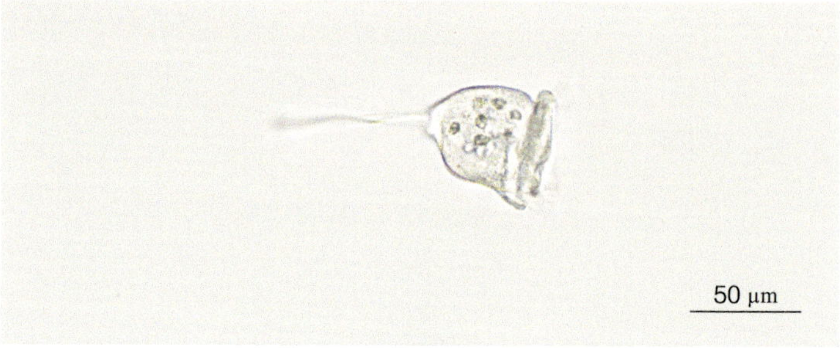

杯钟虫

11. 污钟虫 *Vorticella putrina* Müller-Kent

分类 纤毛纲 Ciliata 缘毛目 Peritrichida

钟形科 Vorticellidae 钟虫属 *Vorticella*

形态特征 本体近似长卵圆形或长椭圆形，体长一般为最大体宽的2.2倍，但偶然也有不到2倍的。最宽阔处通常在中部，但亦有稍微偏后面一些的。前端口围显著地约束，其直径为体宽的1/2～2/3，具有纤毛的口围盘略小于口围，能或多或少突出在口围边缘之外。口前庭和胞咽比较狭小而短。围裹外质的表膜上具有相当密而细的横纹。内质呈乳白色，含有不同数量的食泡，伸缩泡1个，相当大，位于前半部，靠近口前庭和胞咽。柄比较长而细，其长度可达到体长的4～5倍，柄内肌丝轴鞘很光滑。

生境分布 不仅生活在淡水中，在海水中也有分布，偶见于活性污泥中。

标本采集地 白龙江关头坝。

污钟虫

12. 小口钟虫 *Vorticella microstoma* Ehr.

分类 纤毛纲 Ciliata 缘毛目 Peritrichida

钟形科 Vorticellidae 钟虫属 *Vorticella*

形态特征 本体近似长球形，但其长度仍显著地超过宽度，前端口围小而狭，膨大的中部最宽阔，从中部向前后两端逐渐细削。具有纤毛的口围盘略小于口围，少许突出在口围边缘之外。围裹外质的表膜上具有横纹，但很不明显，故难以观察到。内质呈乳白色或淡褐色，经常含有相当多的食泡，伸缩泡 1 个，比较大而显著，大核呈较长的带形，纵置于体内。两头往往向内弯转。柄比较长而细，柄内肌丝轴鞘很光滑，没有任何微粒附着其上。以单独生活为主，很少有丛生习惯。游泳体呈瘦长的圆筒形，行动迅速。

生境分布 为分布最广泛的世界性钟虫。在腐烂有机质较多的静水或流水中都可找到。

标本采集地 白龙江关头坝。

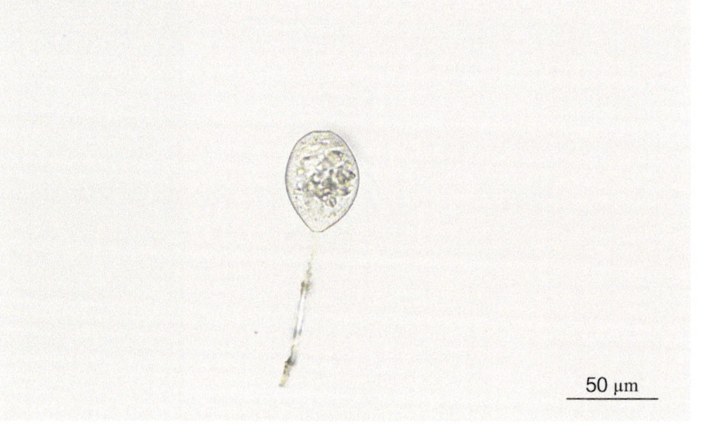

小口钟虫

13. 急游虫属未定种 *Strombidium* sp.

分类 纤毛纲 Ciliata 旋毛目 Stylonychia

急游科 Strombidiidae 急游虫属 *Strombidium*

形态特征 体卵形至球形。体长 36 ～ 57 μm。口缘纤毛十分发达，身体其他部分无纤毛，围口前段在体顶端明显凸起形成领，领向腹面左侧弯曲形成一个窄的开口。领周缘的小膜发达，小膜顺时针旋转进入口腔内。体赤道线上有腰带样隆起。大核卵圆形或带状。1 个伸缩泡。

生境分布 分布广，淡水、海水及半咸水水体中均有出现。

标本采集地 黄河干流刘家峡水库。

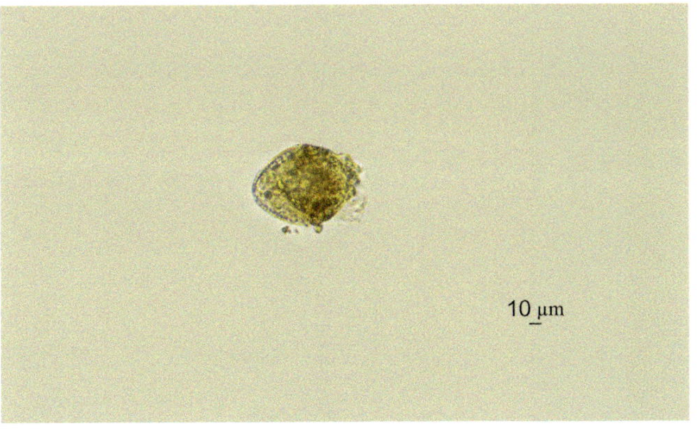

急游虫属未定种

轮虫 Rotifera

14. 大肚须足轮虫 *Euchlanis dilatata* Ehr.

分类 轮虫纲 Rotifera 单巢目 Monogononta

臂尾轮科 Brachionidae 须足轮属 *Euchlanis*

形态特征 体型较大，被甲从背面或腹面观呈卵圆形；背甲前端边缘显著下沉，形成一凹陷。背甲后端中央深深凹入，形成 1 个“V”形或“U”形缺刻。足较短，分 2 节；趾 1 对，剑形或片条形。背甲长 200 ～ 270 μm，宽 90 ～ 189 μm；腹甲长 170 ～ 250 μm；趾长 60 ～ 75 μm。

生境分布 营底栖生活，常出现在沉水植物之间，亦适应浮游的生活方式。分布于沼泽、池塘、深水湖泊的敞水带。

标本采集地 白龙江关头坝。

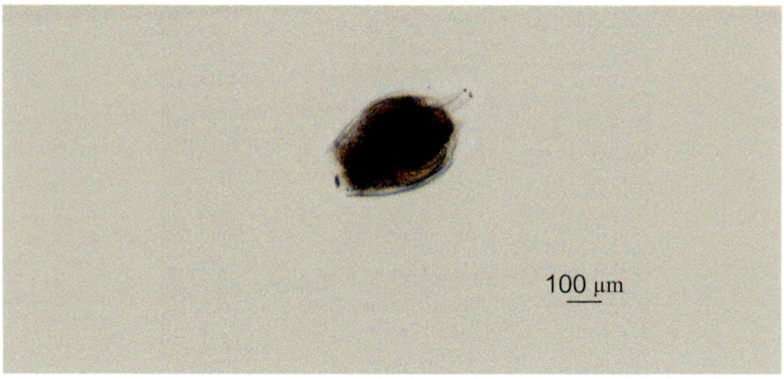

大肚须足轮虫

15. 螺形龟甲轮虫 *Keratella cochlearis* Gosse

分类 轮虫纲 Rotifera 单巢目 Monogononta

臂尾轮科 Brachionidae 龟甲轮属 *Keratella*

形态特征 被甲坚硬，背甲凸出，腹甲扁平。前缘 3 对棘刺，中央 1 对稍长并向外侧弯曲。后端中央 1 根长棘刺。此种变异很大，后棘刺有或无。被甲（不含前棘刺、后棘刺）长 95 μm，宽 65 μm；后棘刺长 55 μm。

生境分布 螺形龟甲轮虫为普生常见种类，从最浅的沼泽到深水湖泊的敞水带都有分布。

标本采集地　白龙江关头坝。

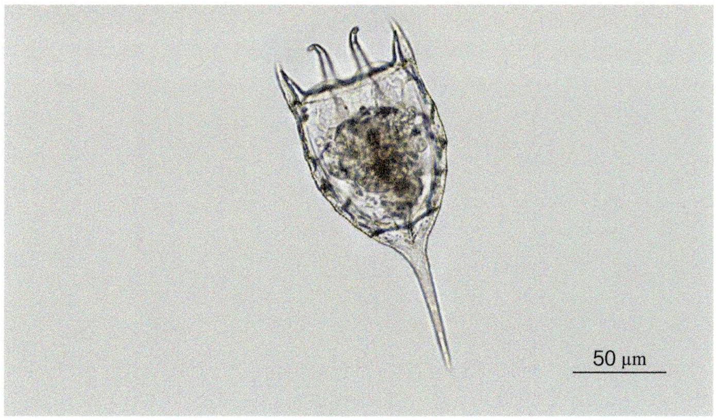

螺形龟甲轮虫

16. 曲腿龟甲轮虫 *Keratella valga* Ehr.

分类　轮虫纲 Rotifera　单巢目 Monogononta
　　　臂尾轮科 Brachionidae　龟甲轮属 *Keratella*

形态特征　背甲若不包括棘刺在内，呈长方形，少数椭圆形。前端 3 对棘刺或多或少向外弯曲，背甲后端棘刺总是一长一短。被甲（不包括前、后棘刺）长 102 ～ 120 μm，宽 74 ～ 90 μm；后端左棘刺长 11 ～ 37 μm，后端右棘刺长 56 ～ 74 μm。

生境分布　分布在我国大小湖泊，长江以南水体中尤为常见。

标本采集地　白龙江关头坝。

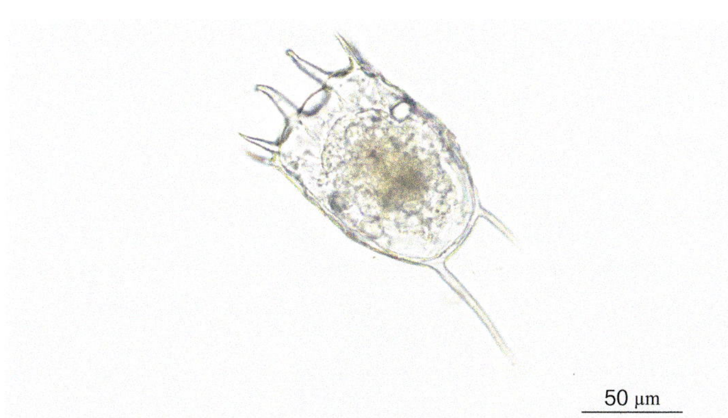

曲腿龟甲轮虫

17. 缘板龟甲轮虫 *Keratella ticinensis* Skane

分类 轮虫纲 Rotifera 单巢目 Monogononta

臂尾轮科 Brachionidae 龟甲轮属 *Keratella*

形态特征 背甲中间一排龟板（中龟板），有3个完全封闭，被甲后端具小缘龟板，无后棘刺。

生境分布 为典型的浮游种类，分布于淡水、内陆盐水中。

标本采集地 黄河干流刘家峡水库。

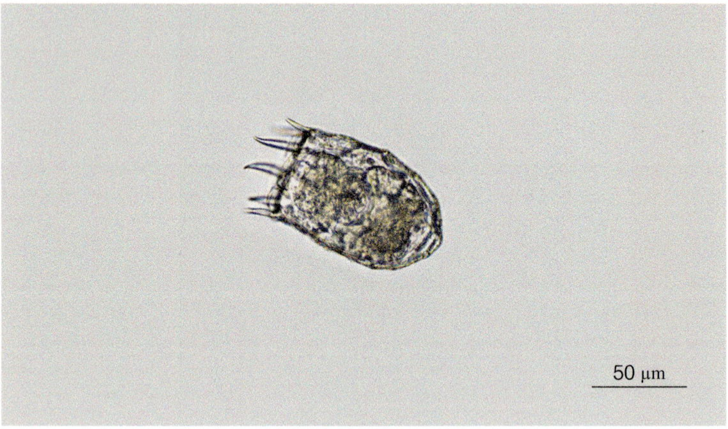

缘板龟甲轮虫

18. 月形单趾轮虫 *Monostyla lunaris* Ehr.

分类 轮虫纲 Rotifera 单巢目 Monogononta

腔轮科 Lecanidae 单趾轮属 *Monostyla*

形态特征 背甲轮廓系宽阔的卵圆形。背甲前端边缘显著地较腹甲为狭，整个边缘形成半月形或“V”形的下沉凹痕，凹痕底部浑圆。腹甲前端边缘很阔，背甲呈卵圆形或接近圆形，后端浑圆。背甲以及腹甲表面相当光滑。足的第一节比较短，两侧几乎平行，第二节相当粗壮。趾细而长，其长度超过全身长度的1/3。

生境分布 为最普通的种类之一，世界各地广泛分布。自春初到秋末，在有挺水植物或沉水植物分布的沼泽、池塘、湖泊沿岸带，常可见其踪迹。

标本采集地 白龙江关头坝。

月形单趾轮虫

19. 囊形单趾轮虫 *Monostyla bulla* Gosse

分类 轮虫纲 Rotifera 单巢目 Monogononta

腔轮科 Lecanidae 单趾轮属 *Monostyla*

形态特征 背甲长卵圆形，宽度约为长度的 3/5；背甲与腹甲几乎同一样式；背甲前端有一较小而浅的半圆形下凹；腹甲前端有一很大而深的“V”形缺刻。趾很长，其长度至少为背甲全长的 1/3，背甲（不包括趾在内）长 140 ～ 195 μm，宽 105 ～ 125 μm；趾（包括爪在内）长 65 ～ 140 μm。

生境分布 世界性种类，除大型深水湖泊外，各类淡水水体中均有分布。

标本采集地 白龙江关头坝。

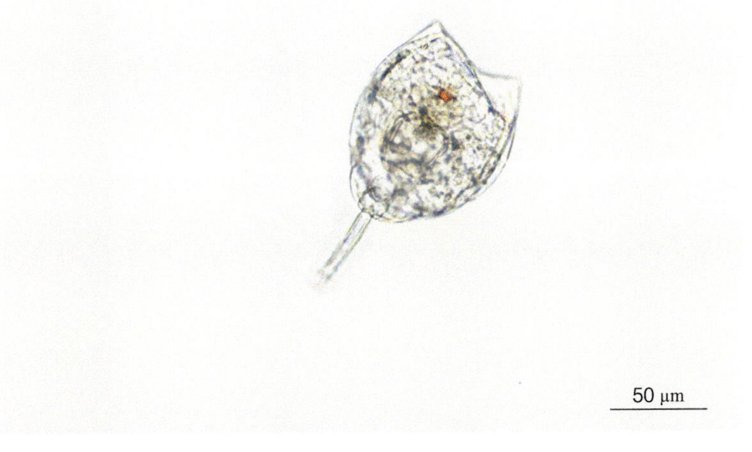

囊形单趾轮虫

20. 椎尾水轮虫 *Epiphanes senta* O. F. Müller

分类 轮虫纲 Rotifera 单巢目 Monogononta

须足轮科 Euchlanidae 水轮虫属 *Epiphanes*

形态特征 身体呈长圆锥形。头部比较阔而长，腹面观或多或少呈方形。足比较阔而短，紧连在躯干部后端。趾 1 对，较短，呈锥形。头冠纤毛环和臂尾轮虫一个类型，但环毛带和轮毛带都比较发达。背面棒状突起显著的共有 5 个，上面着生很粗而长的感觉毛。身体全长 570 μm，宽 170 μm。

生境分布 为最普通的种类之一。沼泽及池塘是其最适宜的生境，常出现于裸藻特别多的浅水小型湖泊的小湾或水草茂盛的沿岸带。

标本采集地 黄河干流刘家峡水库。

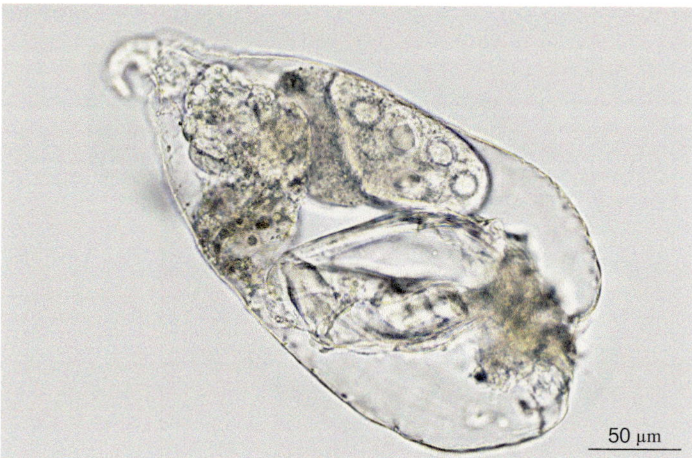

椎尾水轮虫

21. 晶囊轮虫属未定种 *Asplanchna* sp.

分类 轮虫纲 Rotifera 单巢目 Monogononta

晶囊轮科 Asplanchnidae 晶囊轮虫属 *Asplanchna*

形态特征 体透明，形似灯泡；后端浑圆；无足。砧型咀嚼器能转动，可伸出口外摄取食物。无肠和肛门，胃发达，不能消化的食物残渣经口吐出。

生境分布 典型的浮游性轮虫。温暖季节广泛出现在池塘、湖泊、水库等淡水水域。

标本采集地 黄河干流盐锅峡。

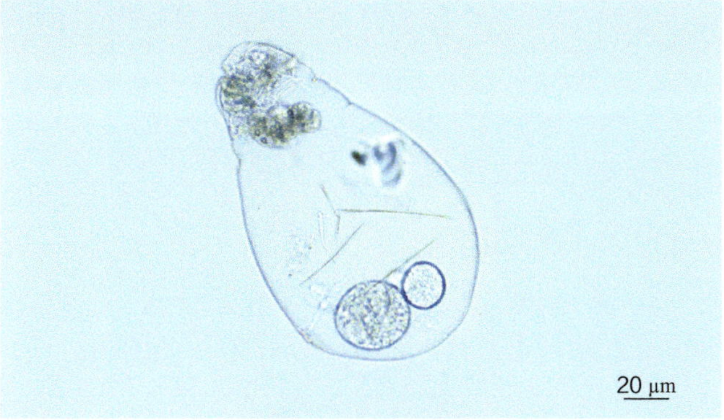

晶囊轮虫属未定种

22. 透明囊足轮虫 *Aspanchnopus hyalinus* Harring

分类 轮虫纲 Rotifera 单巢目 Monogononta

晶囊轮科 Asplanchnidae 囊足轮属 *Asplanchnopus*

形态特征 身体透明，呈囊袋形，长过于宽，后半部总是比前半部更为宽阔，后端浑圆。足略呈圆筒形，自基部向后少许细削，显著分为两节。头冠面向身体的最前端，盘顶很大而发达，只有一圈纤毛环围绕在盘顶周围。纤毛环在背面和腹面的中央间断光滑而不具备纤毛。在靠近背面和腹面的两侧各有若干触毛。咀嚼器系典型的砧型。身体全长 500 ～ 520 μm，足和趾长 85 ～ 90 μm，咀嚼器长 85 ～ 88 μm。

生境分布 温暖季节广泛出现在池塘、沼泽等水体中。

标本采集地 白龙江关头坝。

透明囊足轮虫

23. 疣毛轮属未定种 *Synchaeta* sp.

分类 轮虫纲 Rotifera 单巢目 Monogononta

疣毛轮科 Synchaetidae 疣毛轮属 *Synchaeta*

形态特征 体呈圆锥形或钟形。头冠宽，有 4 根长且粗的刚毛。左右两侧各具一凸出的“耳”。“耳”上纤毛发达。足不分节。趾 1 对小而短。

生境分布 分布在淡水和咸水水体中，为常见的浮游性种类。

标本采集地 白龙江关头坝。

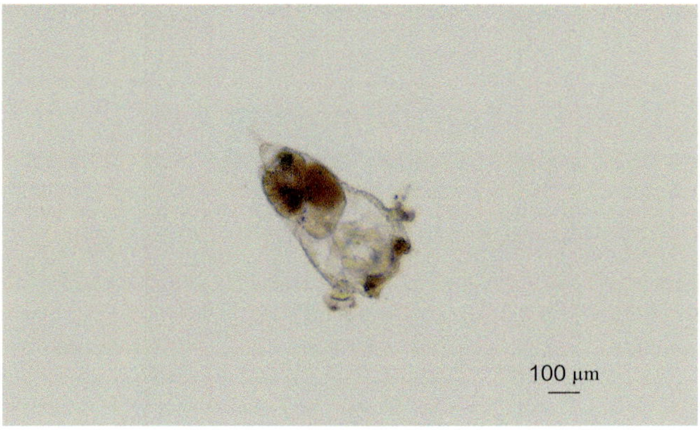

疣毛轮属未定种

24. 针簇多肢轮虫 *Polyarthra trigla* Ehr.

分类 轮虫纲 Rotifera 单巢目 Monogononta

疣毛轮科 Synchaetidae 多肢轮属 *Polyarthra*

形态特征 身体透明，呈长方块形或长圆形。本体和肢的形态有季节性的变异：一般在夏季本体纵长，呈长方形，12 条肢短而宽；在冬季本体较短而宽，12 条肢则长而细。12 条肢均呈较细长的剑形。本体长 120 ～ 165 μm，宽 85 ～ 114 μm；肢长 100 ～ 170 μm。

生境分布 典型的浮游种类，广泛分布于湖泊、水库、池塘中。一年四季均可找到。

标本采集地 黄河干流刘家峡水库。

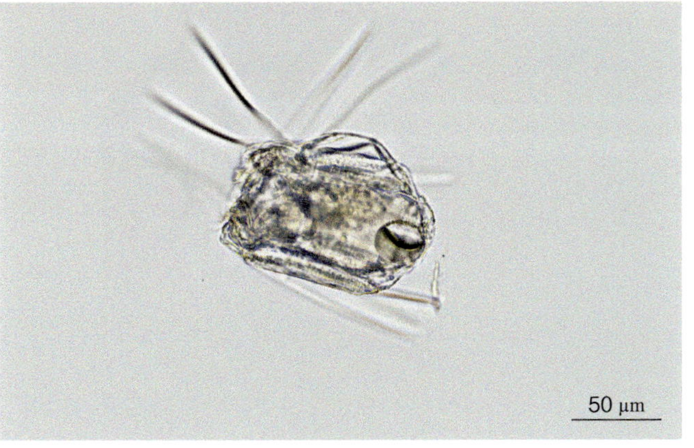

针簇多肢轮虫

25. 较大多肢轮虫 *Polyarthra major* Burckhardt

分类 轮虫纲 Rotifera 单巢目 Monogononta

疣毛轮科 Synchaetidae 多肢轮属 *Polyarthra*

形态特征 附肢的宽度为 20 ～ 30 μm，附肢长度和体长的比值小于 100%，无腹鳍存在。

生境分布 分布于深水湖泊中，可以分布到 200 m 的深度。

标本采集地 白龙江关头坝。

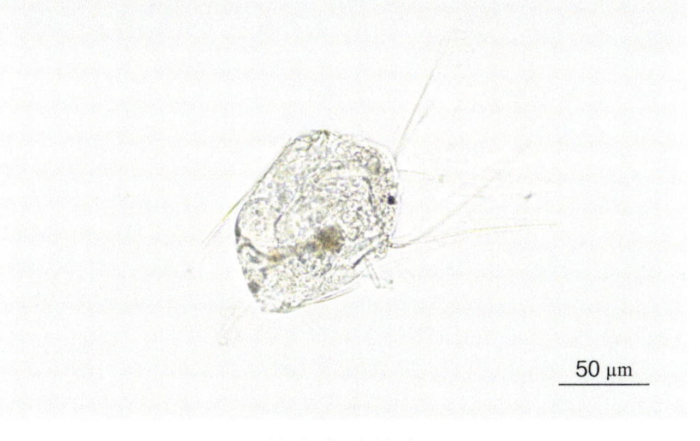

较大多肢轮虫

枝角类 Cladocera

26. 透明溞 *Daphnia hyalina* Leydig

分类 节肢动物门 Arthropoda 甲壳纲 Crustacea 双甲目 Diplostraca
溞科 Daphniidae 溞属 *Daphnia*

形态特征 雌体体长 1.30 ~ 3.04 mm。体呈长卵形。头部背侧近乎平直，腹侧微凹，头顶多少有点凸起。夏季有尖或圆的头盔。吻通常尖而长。复眼较小，靠近头腹侧，晶粒大而显著。单眼很小。第一触角短小，嗅毛末端不超过吻尖。角丘平坦。后腹部细长，尾爪无栉刺。腹突 4 个，都不甚发达，无细毛。

生境分布 多分布于中小型浅水湖泊、池塘、水沟以及湖汊等有机质丰富的小型水体。

标本采集地 黄河干流盐锅峡。

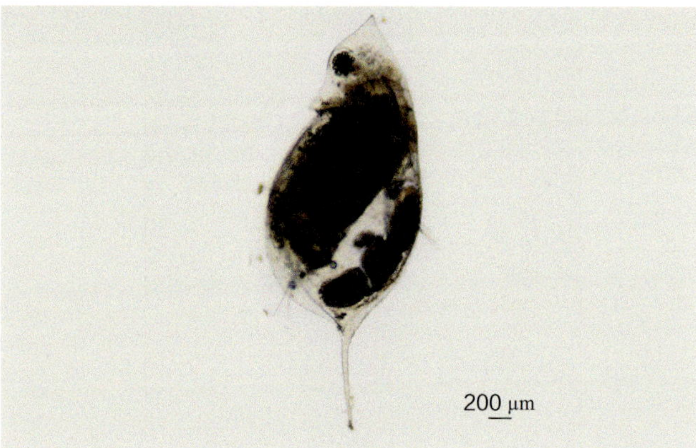

透明溞

27. 长刺溞 *Daphnia longispina* O. F. Müller

分类 节肢动物门 Arthropoda 甲壳纲 Crustacea 双甲目 Diplostraca
溞科 Daphniidae 溞属 *Daphnia*

形态特征 雌体体长 1.20 ~ 3.11 mm。体呈长卵形。壳瓣背侧的脊棱不伸展到头部，背腹两缘弧曲度大致均称。壳刺大多较长。头部形状变化很大。无头盔。壳弧发达，后端弯曲成一钝角。吻长而颇尖。复眼靠近头顶，单眼很小。第一触角短，嗅毛末端不超过吻尖。

第二触角较短。后腹部向后逐渐趋窄。肛刺通常为 9 ～ 15 个，偶尔多达 20 个。尾爪细长，有时外方有 2 个缺刻，仅列生一长行细小的刚毛。腹突 4 个。

生境分布 比较广泛地分布于水库、湖泊和江河中，但在池塘中的出现率不如大型溞和隆线溞，偶尔出现于半咸水水体中。

标本采集地 黄河干流盐锅峡。

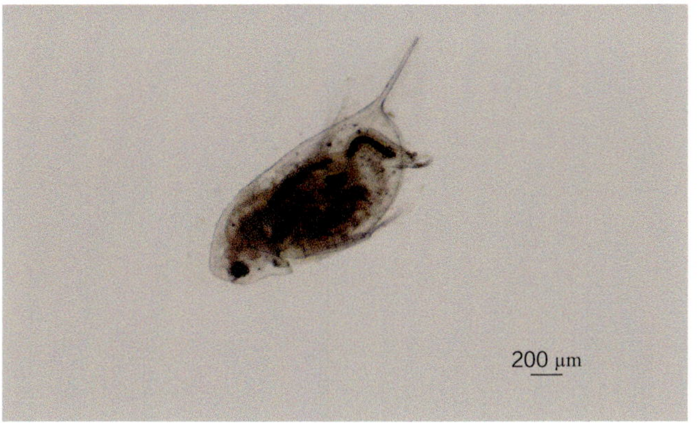

长刺溞

28. 小栉溞 *Daphnia cristata* Sars

分类 节肢动物门 Arthropoda 甲壳纲 Crustacea 双甲目 Diplostraca
溞科 Daphniidae 溞属 *Daphnia*

形态特征 雌性体长 0.88 ～ 1.63 mm。体呈卵圆形，十分侧扁。无色透明。壳瓣背侧脊棱发达。壳刺颇长，直指后方或曲向背方，上背小棘，其长约为壳长的 2/3。壳纹较不清晰，呈粗网状。头部约为体长的 1/3，头部呈三角形，头形随季节变化，冬季头顶圆，夏季头顶尖，具有发达的头盔。头背侧内凹，腹侧外凸，有时两者均近乎平直。在头部之后的背侧，有一浅的凹陷。壳弧短小。吻钝。复眼较小，位于头部中央。无单眼。第一触角只有很小的一部分露出头部之外。第二触角细长，本身长约相当于体长的一半，向后伸展时，游泳刚毛末端超过壳刺基部。游泳刚毛总共有 8 根，内肢第一节的一根已完全退化。刚毛式：0-0-1-3/0-1-3。雄性体长 0.80 ～ 0.96 mm。壳瓣狭长。壳刺很长，向背方高举。成长个体头顶圆，幼小个体尖。吻短而钝。第一触角发达，各部分粗细相同，末背角有一根刚毛，其长约为嗅毛的 2 倍。无触毛。第一胸肢有 1 个短钩和 1 根长鞭毛。后腹部细长，背侧颇凹，肛刺有 6 ～ 7 个。腹突退化。

生境分布 嗜寒性。栖息在湖泊与水库中，也是敞水区典型的浮游种类。季节变异显著，但在小而温暖的水域中不显著。

标本采集地 黄河干流盐锅峡。

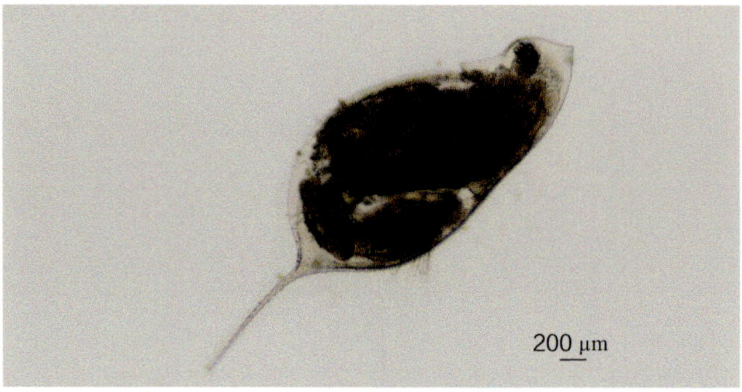

小栉溞

29. 长肢秀体溞 *Diaphanosoma leuchtenbergianum* Fischer

分类 节肢动物门 Arthropoda 甲壳纲 Crustacea 双甲目 Diplostraca
仙达溞科 Sididae 秀体溞属 *Diaphanosoma*

形态特征 体色透明。雌体体长 0.84 ~ 1.23 mm，体形与短尾秀体溞非常相像。两者最主要的区别在于本种的第二触角特别长，其外肢的末端至少可以达到或者甚至超过壳瓣的后缘。此外，本种的额顶凸出，呈锥形。复眼略小，离头顶较远且贴近腹面。

生境分布 为湖泊、池塘中的常见种类。

标本采集地 白龙江碧口水库。

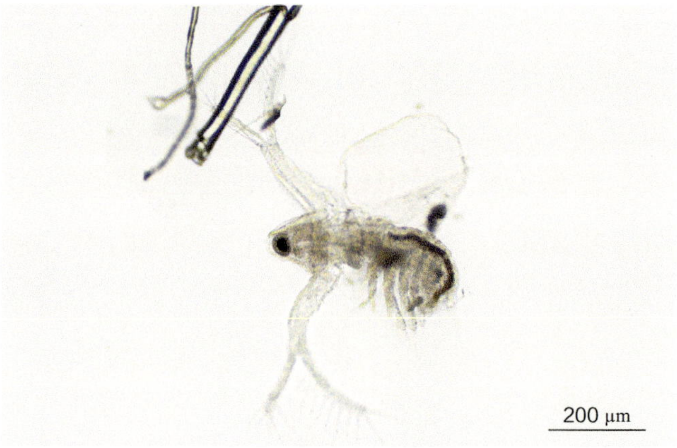

长肢秀体溞

30. 长额象鼻溞 *Bosmina longirostris* O. F. Müller

分类 节肢动物门 Arthropoda 甲壳纲 Crustacea 双甲目 Diplostraca
象鼻溞科 Bosminidae 象鼻溞属 *Bosmina*

形态特征 雌体体长 0.40 ~ 0.60 mm。体形变化大。壳瓣颇高。后腹角延伸成一壳刺。壳刺末端钝，上缘光滑，下缘有时带锯齿。壳瓣腹缘的前端有 10 ~ 14 根羽状刚毛。额毛着生于复眼与吻部末端之间的中央。壳弧为 1 条隆线。复眼通常较大。第一触角短或中等长，末端部有时弯曲或呈钩状。嗅毛束着生的部位到吻端间的距离一般为触角全长的 1/3 左右。后腹部末端内凹。末背角突起较低。尾爪弯曲不均匀，在尾爪的基部与中部各有 1 行栉刺。基部 1 列共计 4 ~ 10 个刺。

生境分布 全国各地大、中、小水体中均有分布，但主要生活在湖泊中，尤以富营养水域数量多。在大型深水湖泊或水库的敞水区多于沿岸区。

标本采集地 白龙江碧口水库。

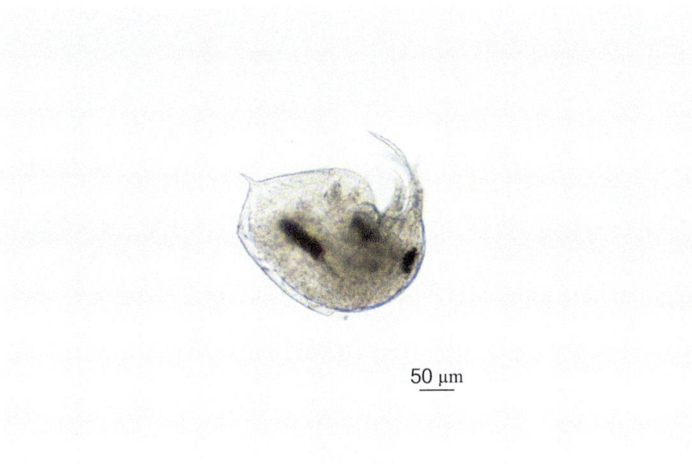

长额象鼻溞

31. 圆形盘肠溞 *Chydorus sphaericus* O. F. Müller

分类 节肢动物门 Arthropoda 甲壳纲 Crustacea 双甲目 Diplostraca
盘肠溞科 Chydoridae 盘肠溞属 *Chydorus*

形态特征 雌体体长 0.25 ~ 0.45 mm。体呈圆形或宽椭圆形；淡黄色或黄褐色。壳瓣短而高；背缘弓起；后缘很低；腹缘向外凸出，中部尤甚。后背角不明显。后腹角浑圆。头部低。吻长且甚尖。单眼小于复眼。第一触角末端仅有 1 根触毛。第二触角短小，内外肢均分 3 节，总共只有 7 根游泳刚毛。胸肢 5 对。肠管盘曲一圈半。后腹部短，前肛角凸出显著，两侧平滑。背缘有肛刺 8 ～ 10 个。尾爪基部有爪刺 2 个，前面的 1 个细小。尾刚毛细而不长。

生境分布　多分布于小而浅的水坑或湖泊、水库的沿岸区草丛中。

标本采集地　黄河干流刘家峡水库。

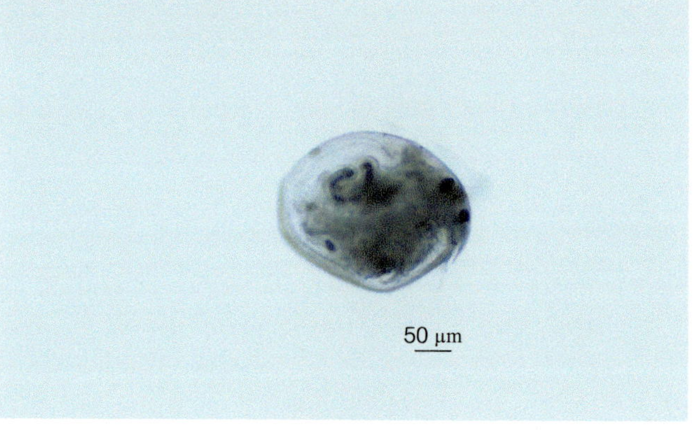

圆形盘肠溞

32. 矩形尖额溞 *Alona rectangula* Sars

分类　节肢动物门 Arthropoda　甲壳纲 Crustacea　双甲目 Diplostraca
盘肠溞科 Chydoridae　尖额溞属 *Alona*

形态特征　雌体体长 0.38 ～ 0.48 mm。体近长方形。壳瓣背缘弧形，中部最高；后缘高度稍低于壳的最高部分；腹缘较平直，全部列生刚毛。后背角与后腹角均圆钝。头部向前伸。吻部钝。单眼略小于复眼，位于复眼与吻尖的中间。第一触角前侧有 1 根触毛。第二触角共有 8 根游泳刚毛。胸肢 5 对。后腹部短而宽，肛刺 8 ～ 10 个。各侧有栉毛簇。尾爪基部有 1 个爪刺。

生境分布　多生活于湖泊近岸草丛、池塘或沟渠中。

标本采集地　黄河干流盐锅峡。

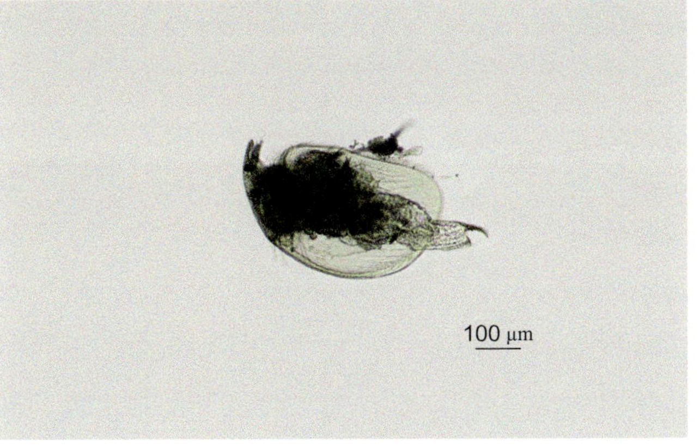

矩形尖额溞

桡足类 Cepepoda

33. 汤匙华哲水蚤 *Sinocalanus dorrii* Brehm

分类 节肢动物门 Arthropoda 甲壳纲 Crustacea 哲水蚤目 Calanoida
胸刺水蚤科 Centropagidae 华哲水蚤属 *Sinocalanus*

形态特征 雌体体长 1.44 ~ 1.73 mm。体形窄长。头节与第一胸节界线分明。腹部明显可见的仅 3 节。生殖节近圆形。尾叉窄长，长度约为宽度的 6 倍，内缘、外缘都有细刚毛。第一触角分 25 节。第二触角的内肢显著长于外肢；内肢分 2 节，外肢分 7 节。

生境分布 为淡水种，分布于湖泊、池塘和河流中。

标本采集地 黄河干流盐锅峡。

汤匙华哲水蚤

34. 近邻剑水蚤 *Cyclops vicinus* Uljanin

分类 节肢动物门 Arthropoda 甲壳纲 Crustacea 剑水蚤目 Cyclopoida
剑水蚤科 Cyclopidae 剑水蚤属 *Cyclops*

形态特征 雌体体长 1.45 ~ 2.63 mm。体形粗壮。头节的末部最宽。第四胸节的后侧角呈锐三角形；第五胸节的后侧角甚锐。生殖节的长度大于宽度。尾叉窄长，其长度为宽度的 6 ~ 8 倍；外缘近基部 1/4 处具 1 个缺刻，内缘具短刚毛。第一尾毛短于第四尾毛的 1/2；第二尾毛略短于第三尾毛；背尾毛细小，短于第一尾毛。第一触角末端约抵第二胸节的中部，共分 17 节。

生境分布 为湖泊、池塘、小型静水中的常见种类。

标本采集地 白龙江碧口水库。

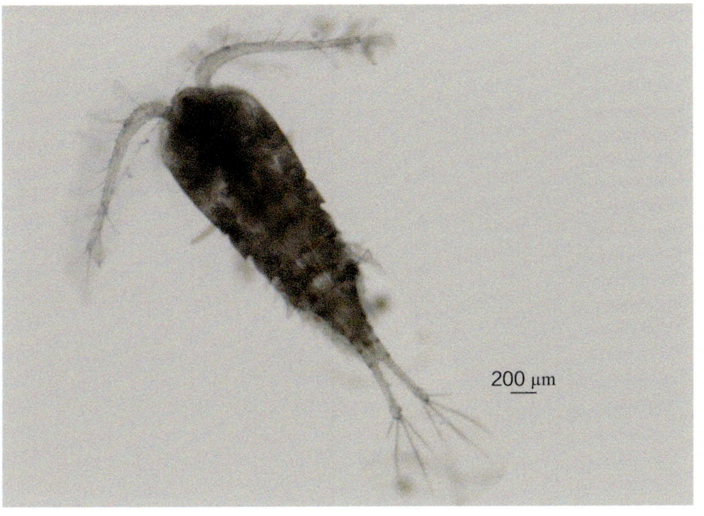

近邻剑水蚤

35. 广布中剑水蚤 *Mesocyclops leuckarti* Claus

分类 节肢动物门 Arthropoda 甲壳纲 Crustacea 剑水蚤目 Cyclopoida
剑水蚤科 Cyclopidae 中剑水蚤属 *Mesocyclops*

形态特征 雌体体长 0.85 ～ 1.20 mm。头胸部呈卵圆形，头节中部最宽。生殖节瘦长，尾节后缘外侧具细刺。尾叉的长度约为宽度的 3 倍。尾叉内缘光滑无刚毛，侧尾毛位于尾叉侧缘近末部 1/3 处。第一尾毛的长度稍短于尾叉；第二尾毛长度约为第 3 尾毛的 3/4；第四尾毛长度约为第一尾毛的 3 倍；背尾毛的长度约与第一尾毛相等。第一触角末端约抵第二胸节的末缘，共分 17 节，第 16 节、第 17 节两节具透明膜，第 16 节的边缘具锯齿，第 17 节接近末端 1/3 处具 1 个钩状缺刻。雄体体长 0.64 ～ 0.83 mm。体形较雌性瘦小。生殖节的长度稍大于宽度，内含长豆形精荚 1 对。尾叉平行，较短，长度约为宽度的 3.11 倍。侧尾毛较雌性为长。第一触角分 15 节；第 13 节、第 14 节可弯曲；末节呈爪状。

生境分布 分布于池塘、水库中。

标本采集地 黄河干流刘家峡水库。

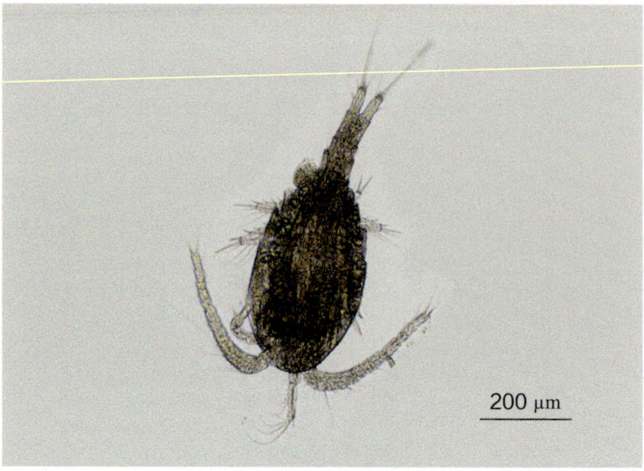

广布中剑水蚤

36. 小剑水蚤属未定种 *Microcyclops* sp.

分类 节肢动物门 Arthropoda 甲壳纲 Crustacea 剑水蚤目 Cyclopoida
剑水蚤科 Cyclopidae 小剑水蚤属 *Microcyclops*

形态特征 雌性第一触角短小，分 9 ～ 12 节，大多 11 ～ 12 节，末节无透明膜、无小齿。第一胸足至第四胸足内肢、外肢均分 2 节。第五胸足基节已完全与第五胸节愈合，仅存刚毛 1 根，与仅有的 1 节呈直角，此节呈圆柱形，内缘中部具 一小刺或齿痕，末端具一长刚毛。纳精囊前半部呈横长条形，后半部呈囊形，或前、后两部均呈横长条形。

生境分布 常生活于有水草的小型池塘中或湖泊沿岸带的水草丛中以及流速缓慢的河流中。

标本采集地 黄河干流刘家峡水库。

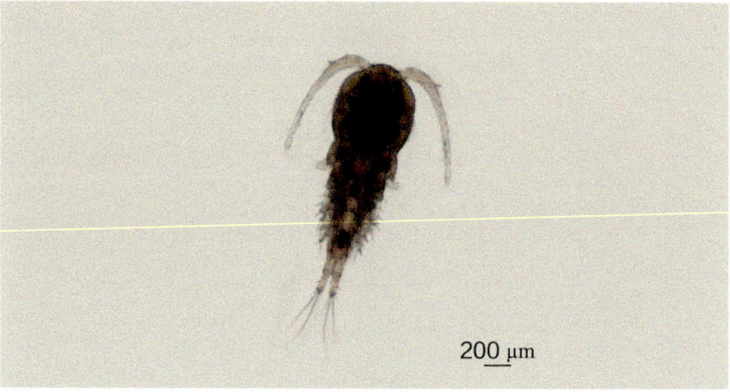

小剑水蚤属未定种

37. 猛水蚤目未定种 Harpacticoida sp.

分类 节肢动物门 Arthropoda 甲壳纲 Crustacea 猛水蚤目 Harpacticoida

形态特征 小型桡足类。前、后体部的宽度相差不明显。头部与第一胸节愈合，后3个胸节具有“侧甲”。尾叉一般短小，末端有2根发达的刚毛。卵囊1～2个，附着于雌性生殖节腹面。第一触角短，一般不超过10节。雄性左右都改变为执握触角。第二触角双肢型。大多数营底栖生活，营浮游生活的种类较少。

生境分布 分布于淡水沿岸带、海水以及咸淡水中。

标本采集地 白龙江碧口水库。

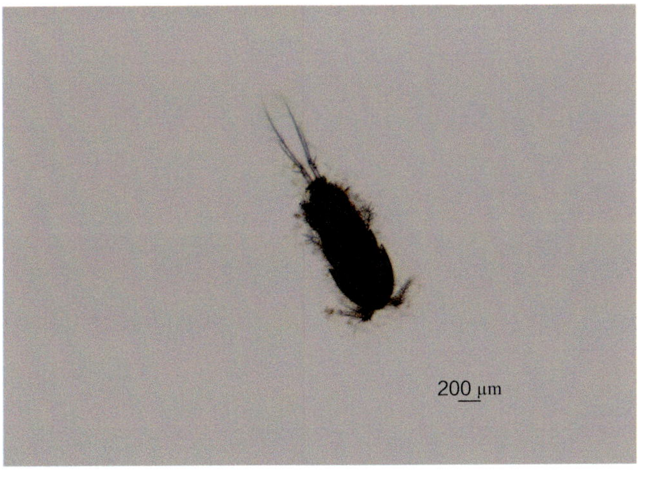

猛水蚤目未定种

38. 桡足类无节幼体 Nauplius larva

分类 节肢动物门 Arthropoda 甲壳纲 Crustacea

形态特征 桡足类卵孵出的幼体。体不分节，呈卵圆形，具有3对附肢和1个单眼。一般分为6期，各期区别在于个体大小、附肢刚毛数和尾刺数。通常前三期以卵黄为生；第四期后，肛门开口，开始摄食。但不同种类开始摄食的时期不同，有的可在第二期甚至第一期摄食。

生境分布 为桡足类的幼体阶段，常随成体分布于淡水、海水或半咸水中的水域环境，营浮游生活。

标本采集地 白龙江关头坝和黄河干流盐锅峡。

桡足类无节幼体

39. 桡足幼体 Copepodite

分类 节肢动物门 Arthropoda 甲壳纲 Crustacea

形态特征 最后一期无节幼体蜕皮，即进入桡足幼体。身体分前、后体部，基本上具备了成体的外形特征，所不同的是身体较小，体节和胸足数较少，一般分为 5 期。体节和胸足数随发育期增加而增多。第五桡足幼体已出现雌雄区别，但尚未性成熟。

生境分布 为桡足类的幼体阶段，由无节幼体发育而成，常随成体分布于淡水、海水或半咸水的水域环境，通常以浮游生活为主。

标本采集地 白龙江关头坝和黄河干流盐锅峡。

桡足幼体

Chapter 3
Fish

第三章

鱼　类

鲤形目 Cypriniformes

1. 马口鱼 *Opsariichthys bidens* Günther

分类 鲤科 Cyprinidae 马口鱼属 *Opsariichthys*

形态特征 体长，侧扁，腹部圆形。吻钝。眼侧上位。口前上位，口裂大且斜。下颌突出，前端凸起与上颌凹陷相嵌合；上下颌之侧缘也凹凸相嵌。

体披圆鳞，中等大小。侧线完全。

背鳍起点与腹鳍基相对。雄鱼臀鳍 1 ～ 4 分枝鳍条明显延长，达尾鳍基部，是区分雌雄的特征之一。尾鳍深叉形，上、下叶末端尖。

体背部灰黑色，腹部银白色。颊部及偶鳍和尾鳍下叶橙黄色，背鳍的鳍膜有黑色斑点。体侧具 10 ～ 14 条浅蓝色垂直斑条。繁殖季节雄鱼体色鲜艳，上下颌、鳃盖边缘及臀鳍上具珠星。

分布与习性 喜栖于湖泊、水库，是生活在水体中上层的小型凶猛鱼类。肉食性，以小鱼为主要食物，产黏性卵。

标本采集地 白龙江。

马口鱼

2. 拉氏大吻鲅 *Rhynchocypris lagowskii*（Dybowsky）

分类 鲤科 Cyprinidae 鲅属 *Phoxinus*

形态特征 身体略呈圆筒形，尾柄长而低。头近锥形，头长大于体高。吻尖。口亚下位，口裂倾斜，上颌长于下颌。眼位于头侧的前方，眼间隔宽平，其宽大于眼径。

鳞细小，排列紧密，侧线完全，侧线鳞 84 ～ 103。

背鳍起点在眼前缘尾鳍基间距的中点。尾鳍浅叉形，上、下叶末端圆。

体有许多不规则的黑色小斑点，两侧中轴有一显著的黑色直纹，背部自颈后至尾鳍基有黑色条带。尾鳍基有黑色斑点。

分布与习性 栖息于水温偏低、水质澄清的河流中。摄食水生昆虫及其幼虫，也食鱼卵和其他小鱼。卵黏性，黏附于砾石上发育。

标本采集地 黄河干流。

拉氏大吻鲅

3. 䱗条 *Hemiculter leuciclus* Basilewsky

分类 鲤科 Cyprinidae 䱗属 *Hemiculter*

形态特征 体长而侧扁，体长为体高的 3.8 ～ 4.6 倍，背缘平直，腹缘略呈弧形，自胸鳍基下方至肛门具腹棱。头略尖，侧扁。吻短。口端位，口裂斜，上下颌约等长。眼中大，侧位，眼间宽而微凸。

侧线完全，自头后向下倾斜至胸鳍后部急剧弯折，与腹部平行于体之下半部，在臀鳍其末端又折而向上伸入尾柄正中。

腹膜灰黑色。

体背部青灰色，腹侧银白色，尾鳍边缘黑色。

分布与习性 栖息于水体中上层的小型鱼类，常在沿岸集群，冬季在深水处越冬。为杂食性鱼类，主要摄食枝角类和水生植物，也摄食水生昆虫和小鱼等。卵浮性。

标本采集地 黄河干流、白龙江。

䱗

4. 贝氏䱗 *Hemiculter bleekeri*（Warpachowski）

分类 鲤科 Cyprinidae 䱗属 *Hemiculter*

形态特征 体侧扁而长，体长为体高的 3.9 ～ 4.9 倍。腹棱完全，自胸基部至肛门。头略尖，口前位，斜裂，上、下颌等长。

侧线完全，在胸鳍上方向下弯曲，行至臀鳍基部向上弯曲，进入尾柄的中线。

背鳍起点位于腹鳍之后，距尾鳍基较距吻端为近，有光滑的硬刺。臀鳍起点在背鳍之后。胸鳍不达腹鳍。腹鳍起点在背鳍之前，不达臀鳍。尾叉形。

腹膜深黑色。

体背部淡青灰色或灰绿色，侧部和腹部银白色。胸鳍、腹鳍、臀鳍灰白色，背鳍、尾鳍深灰色。

分布与习性 生活在水体上层，喜欢集群。在江、河、湖泊、水库中均能生活和繁殖。常在岸边摄食。食物主要有水生昆虫、枝角类、桡足类、藻类以及水生植物，为杂食性鱼类。卵浮性。

标本采集地 白龙江。

贝氏䱗

5. 半䱗 *Hemiculterella sauvagei*（Warpachowski）

分类 鲤科 Cyprinidae 半䱗属 *Hemiculterella*

形态特征 体长而侧扁。腹部圆，腹棱不完全，自腹鳍至肛门。头背面平直，后部稍隆起。头尖，口端位，口裂斜，后端伸达鼻孔后缘正下方，下颌前端有一突起和上颌中央的凹陷相吻合。眼侧上位，眼上缘几乎与头顶平齐。眼间隔宽而平坦。

鳞中等大，腹鳍基部有一狭长腋鳞，侧线完全，在胸鳍上方向下弯折明显。

背鳍无硬刺，起点约在鼻孔至最后鳞片的中点。尾鳍深分叉。

腹膜灰黑色。

体背侧黑褐色，体两侧色渐淡，腹部白色。体侧自头后至尾鳍基常具一黑色纵带。背鳍、尾鳍和胸鳍浅灰色，其他各鳍灰白色。

分布与习性 生活在江河湖泊的中层，以浮游生物及高等植物的碎片为食，产黏性卵。

标本采集地 白龙江。

半餐

6. 鳙 *Aristichthys nobilis*（Richardson）

分类 鲤科 Cyprinidae 鳙属 *Aristichthys*

形态特征 体侧扁，稍高。腹棱不完全，仅在腹鳍基部至肛门间有腹棱。头大，前部宽阔，头长大于体高。吻短而圆钝。口大，端位，口裂向上倾斜，下颌稍突出。眼小，位于头侧的中轴之下。眼间隔宽阔。鳃耙数多，排列极为紧密，但不相连。

鳞小，侧线完全，前部向下弯曲，然后延至尾柄正中。

背鳍短，起点在腹鳍起点之后。胸鳍大而延长，末端超过腹鳍基部。尾鳍深叉形。

背部及体侧上半部微黑，有许多不规则的黑色斑点；腹部灰白色。各鳍灰白色。

分布与习性 栖息于水体中上层的滤食性鱼类，以浮游动物为主要食物。产漂流性卵。

标本采集地 黄河干流。

鳙

7. 鲢 *Hypophthalmichthys molitrix*（Valenciennes）

分类 鲤科 Cyprinidae 鲢属 *Hypophthalmichthys*

形态特征 体侧扁，稍高。从胸部到肛门之间有发达的腹棱。头较大。吻短而圆钝。口宽大，端位。无须。眼小，位于头侧中轴之下。眼间隔宽，稍隆起。鼻孔位置很高，在眼前缘的上方。鳃耙彼此连成多孔膜质片。

鳞小，侧线完全。

背部青灰色，体侧、腹部银灰色，背鳍、尾鳍灰黑色，偶鳍灰白色。

分布与习性 栖息于水体上中层的滤食性鱼类，主要以浮游植物为食，产漂浮性卵。

标本采集地 黄河干流、白龙江。

鲢

8. 高体鳑鲏 *Rhodeus ocellatus*（Kner）

分类 鲤科 Cyprinidae 鳑鲏属 *Rhodeus*

形态特征 体侧扁，背部隆起，外形呈卵圆形。头小，口端位。眼大，眼径大于吻长。

鳞大，侧线不完全，仅在前方有 5 ～ 10 个侧线鳞。

背鳍起点在腹鳍起点之后。尾鳍叉形，上、下叶等长。

背部黄褐绿色，有金属光泽，背鳍后背部灰褐色，体侧上部、鳃盖后缘上方有一黑色斑点，尾柄中线有 1 条黑色纵带，背鳍有黑白相间斑纹，鳃盖后尚有一浅黑色垂直条纹。背鳍和臀鳍均有 2 条横列黑色斑纹。

分布与习性 栖息于河道两侧浅水沼泽中。在生殖期，雄性吻端有珠星，雌性具产卵管，卵产于河蚌鳃瓣上。

标本采集地 黄河干流。

高体鳑鲏

9. 中华鳑鲏 *Rhodeus sinensis* Günther

分类 鲤科 Cyprinidae 鳑鲏属 *Rhodeus*

形态特征 体侧扁，外形呈卵圆形，腹部圆。头较小，端位，下颌略短于上颌。鼻孔位于眼前侧上方。眼较大，侧上位。

鳞大，侧线不完全，仅在前方有 3 ～ 7 个侧线鳞。

背鳍起点距吻端与距尾鳍基相等。尾鳍叉形，上、下叶等长。

背部浅灰褐色，体侧有红蓝色光泽，腹部色淡、呈乳白色，沿尾柄中央线向前延伸至背鳍前，有 1 条由宽渐细的绿色纵行条纹。背鳍前数根鳍条上缘为淡红色，鳍的边缘有一黑色边，臀鳍浅红色，边绿黑色；尾鳍浅灰褐色。鳃盖后上方有 1 个不明显的浅暗褐色的云斑。体侧上部，每个鳞片的后缘都有黑褐色小斑点。

分布与习性 生活于缓流或静水中。以藻类为主要食物。在生殖期，雄性吻端有珠星，雌性具产卵管，卵产于河蚌鳃瓣上。

标本采集地 黄河干流。

中华鳑鲏

10. 短须鱊 *Acheilognathus barbatulus* Günther

分类 鲤科 Cyprinidae 鱊属 *Acheilognathus*

形态特征 体侧扁，呈长椭圆形，背部略隆起，腹部较为平直。口小，端位，马蹄形，吻短钝。眼中位。口角有 1 对短须。

鳞稍大，侧线完全，呈浅弧形。

背鳍与臀鳍末根不分枝鳍条较粗，背鳍起点位于腹鳍基部后缘上方。尾鳍叉形。

体侧背鳍起点下方、侧线上方，有一黑色纵带纹，沿侧线达尾柄中央到尾鳍基，由前向后逐渐加宽，鳃盖后上方有黑色斑点 1 个。雄性背鳍上有两行小黑点。臀鳍有 1 条黑色宽条纹，边缘淡而无色。雌性背鳍前部有一大黑斑。臀鳍无色或颜色不明显。

分布与习性 栖息于河流及湖泊中。在生殖期，雄性吻端有珠星，雌性具产卵管，卵产于河蚌鳃瓣上。

标本采集地 白龙江。

短须鱊

11. 大鳍鱊 *Acheilognathus macropterus* Bleeker

分类 鲤科 Cyprinidae 鱊属 *Acheilognathus*

形态特征 体侧扁，卵圆形。头小而略尖。口端位。口角具一短小须。

鳞较大，侧线完全，位于体侧中线。

背鳍与臀鳍末根不分枝鳍条较粗，背鳍起点约位于体中，后于腹鳍。尾鳍叉形。

体背部暗绿色或黄灰色，腹部银白色，体侧在侧线起点附近及其后方各有一蓝黑斑点，沿尾柄中线向前有 1 条黑色纵纹，背鳍和臀鳍具有 2 列、3 列小黑点。幼鱼背鳍前部有一黑斑点。

分布与习性 生活于水草丛生的浅水中。主要以高等植物的叶片及藻类为食，也摄食浮游动物。在生殖期，雄性吻端有珠星，雌性具产卵管，卵产于河蚌鳃瓣上。

标本采集地 白龙江。

大鳍鱊

12. 唇䱻 *Hemibarbus labeo*（Pallas）

分类 鲤科 Cyprinidae 䱻属 *Hemibarbus*

形态特征 体长，略侧扁。头大，其长大于体高。吻长而突出，其长显著大于眼后头长。口大，下位，呈马蹄形。唇厚，下唇发达，两侧叶宽厚，具发达的皱褶。口角有须 1 对，长度小于或等于眼径。眼大，侧上位。

鳞中等大，侧线完全，近平直。

体背青灰色，腹部白色。背鳍、尾鳍灰褐色，其他各鳍灰白色。

分布与习性　栖息于江河流水的中下层。动物食性，以水生无脊椎动物为食。卵黏性，但黏性不大。

标本采集地　白龙江、嘉陵江。

唇䱻

13. 麦穗鱼 *Pseudorasbora parva*（Temminck & Schlegel）

分类　鲤科 Cyprinidae　麦穗鱼属 *Pseudorasbora*

形态特征　体长而侧扁，腹部圆。口小，上位，“一”字形。唇薄，无乳突。无须。鳞中等大，侧线完全，平直。

背鳍无硬刺，起点距吻端较距尾鳍基为近。尾鳍叉形。

体背部和体侧上半部呈灰黑色，腹部色浅。体侧每个鳞片的后缘具一半月形的黑斑，幼鱼更显著。幼鱼通常在体侧近侧线处有一深黑色的纵行条纹。在生殖期，雄鱼体色变为深黑色，头部出现许多白色珠星。

分布与习性　生活于池塘、湖泊、沟渠中的小型鱼类，耐盐碱，喜栖于河湖支流湾汊沙砾底质处。主要摄食枝角类、桡足类。卵椭圆形，具黏性。

标本采集地　黄河干流、白龙江。

麦穗鱼

14. 点纹银鮈 *Squalidus wolterstorffi*（Regan）

分类 鲤科 Cyprinidae 银鮈属 *Squalidus*

形态特征 体长，稍侧扁，腹部圆，头中等大，顶部稍隆起。吻钝，略呈锥形，其长度较眼后头长小，眼适中，明显小于吻长。口亚下位，上颌较下颌长，无角质边缘。口角具须1对，其长度小于眼径，末端不超过眼球中央。

鳞片较大，圆形，胸腹部具鳞。侧线完全，较平直。

背鳍较短，无硬刺，其起点距吻端较距尾鳍基为近。尾鳍叉形，上、下叶等长，末端尖。

体呈浅棕色，体侧中轴上方有一黑条纹，体侧上部具多数不规则的黑色小斑点，每个侧线鳞上均具一黑点，被侧线管分成“八”字形。

分布与习性 生活于砾石底河边浅水处，主要摄食水生昆虫及其幼虫，也摄食各种藻类。

标本采集地 白龙江。

点纹银鮈

15. 短须颌须鮈 *Gnathopogon imberbis*（Sauvage & Dabry de Thiersant）

分类 鲤科 Cyprinidae 颌须鮈属 *Gnathopogon*

形态特征 体略侧扁，背部较平，腹部圆。头较小，呈锥形。上、下颌等长，口裂斜，上颌不达眼前缘。具口角须 1 对，短小。尾柄粗短。

鳞较大，腹鳍基上缘有一腋鳞，其上方还具有一尖状鳞。侧线完整，较为平直。

背鳍无硬刺，其始点距吻端等于距尾鳍基距离。尾鳍叉状。

身体背部和体侧灰黑色，背部色深，腹部灰白色。在侧线鳞以上的体侧具有数行黑色纵行细条纹，体侧中部有 1 条宽的黑色纵条纹。眼后附近有黑色短带。体侧有许多不规则的黑色小斑点。背鳍中上部有 1 条黑色斑纹，其余各鳍均为灰白色。

分布与习性 底栖性小型鱼类，多生活于山涧溪流。

标本采集地 嘉陵江。

短须颌须鮈

16. 似铜鮈 *Gobio coriparoides* Nichols

分类 鲤科 Cyprinidae 鮈属 *Gobio*

形态特征 体长，背鳍前部圆筒状，后部略侧扁，头后背部稍隆起。头较大，头长约等于体高。吻短，吻长小于或等于眼后头长。口下位，宽弧形。上颌达鼻孔下方。口角须 1 对，其末端超过眼后缘。眼小，侧上位，几乎与头顶平齐。眼间距较宽，约为眼径的 2 倍。

鳞中等大，胸鳍基部前裸露无鳞。侧线完全、平直。

背鳍无硬刺，起点距吻端较距尾鳍基部为近。尾鳍叉形。

身体背部、侧面淡黄灰色，腹部灰白色。身体背部中线在背鳍前方有 5 个，后方有 6 个黑灰色小斑点，沿侧线上方有 1 条不明显的黑色条纹。腹侧白色或淡黄色。

分布与习性 生活于水体中下层的小杂鱼，喜栖居于水质清新的河流内。以昆虫幼虫为食。

标本采集地 渭河。

似铜鮈

17. 棒花鮈 *Gobio rivuloides* Nichols

分类 鲤科 Cyprinidae 鮈属 *Gobio*

形态特征 体长，稍侧扁，背部在背鳍起点处稍隆起，向后渐细，腹部圆。头中等大，近圆锥形，头长大于体高。眼中等大小，上侧位。眼间隔宽平，其宽大于眼径。口下位，弧形。上下唇均无乳突。须 1 对。

鳞中等大，胸部裸露无鳞。侧线完全，平直。

背鳍无硬刺，起点至吻端与自背鳍基部后端至尾鳍基部相等。尾鳍分叉，上叶较下叶略长。

头背灰黑色，体背、体侧黄灰色，腹部白色。体侧中轴及背部正中各有 8 ~ 13 个长形黑褐色斑块。眼前下方至吻端有一黑色条纹。各鳍均呈淡黄色，背鳍、尾鳍具黑色小点组成的波纹。

分布与习性 生活于水体中下层的小型鱼类，喜栖于砂石底质的缓流浅水处。以摇蚊幼虫、藻类（硅藻、蓝藻、绿藻为主）为食，也食浮游动物。

标本采集地 黄河干流。

棒花鮈

18. 蛇鮈 *Saurogobio dabryi* Bleeker

分类 鲤科 Cyprinidae 蛇鮈属 *Saurogobio*

形态特征 体细长，略呈圆筒状，体长为体高的 5.4 ~ 6.6 倍。背部略隆起，腹部平直，尾部较侧扁。头较长，其长大于体高，背面中央有一纵形凹陷。吻较长且突出，其长大于眼后头长，鼻孔前方有 一 横凹。眼中大，位于头中部侧上方。眼间隔宽平。口下位，深弧形。唇厚，具许多小乳突。须 1 对，粗短，向后伸达眼前缘下方，其长一般小于眼径。

鳞中大，自胸鳍基向前裸露无鳞。侧线完全，平直，位于体侧中央。

背鳍无硬刺，起点距吻端较其基部后端至尾鳍基为近。尾鳍叉形。

体背部及体侧的上半部呈黄绿色，每个鳞片后缘黑色。腹部银白色。沿侧线上方有 1 条蓝灰色纵纹，上有 10 ~ 12 个不规则的黑色斑块，大的个体斑块不明显。背部正中有 5 个不显著的黑色斑块。偶鳍及鳃盖边缘为黄色，其余各鳍灰白色。

分布与习性 生活于江、河、湖泊、水库中下层的小型鱼类。以底栖无脊椎动物为食，主要摄食摇蚊幼虫、枝角类、桡足类、水生昆虫、藻类等。卵产于流水中，随流漂浮。

标本采集地 白龙江。

蛇鮈

19. 棒花鱼 *Abbottina rivularis*（Basilewsky）

分类 鲤科 Cyprinidae 棒花鱼属 *Abbottina*

形态特征 体长，粗壮，前部近圆筒状，后部略侧扁。头大，头长大于体高。吻长，向前突出，鼻孔前方下陷。口下位，马蹄形。唇厚，上唇通常具不明显的褶皱。须 1 对。眼小，侧上位。

胸部前方裸露无鳞。侧线完全。

体背部和侧部黄褐色，腹部银白或淡黄色。从吻端至眼前缘有一黑色条纹。体侧中轴有不明显的灰黑色斑块 6 ～ 8 个；上半部每一鳞片后缘有一黑色斑点。各鳍浅黄色，背鳍和尾鳍具许多黑色小点组成的条纹。

分布与习性 生活于水体中下层的小型鱼类，喜栖于河湖支流湾汊沙砾底质处。杂食性。

标本采集地 黄河干流、白龙江。

棒花鱼

20. 裸腹片唇鮈 *Platysmacheilus nudiventris*（Lo,Yao &Chen）

分类 鲤科 Cyprinidae 片唇鮈属 *Platysmacheilus*

形态特征 体较细长，前端略呈圆筒形，尾部细长、侧扁，背部在背鳍起点处稍隆起，腹部圆。头较短，吻钝，在鼻孔前方下陷。眼较小，位于头的侧上方，眼间距约等于眼径。口下位，较宽阔。上下颌均具发达的角质边缘。唇发达，具乳突。口角具须 1 对，较短，其长度小于眼径。

鳞圆形，较大，腹部裸露无鳞，侧线完全。

背鳍无硬刺，其起点距吻端较其基部后端距尾鳍基为大。尾鳍分叉，上、下叶末端稍圆。

体背部及体侧呈暗灰色，腹部灰白色，体侧中线有 10 个左右的黑斑，背鳍和尾鳍上有许多黑色小斑点，其余各鳍灰白色。

分布与习性 底栖性小型鱼类，常栖息在底质多砾石的河流中。

标本采集地 白龙江。

裸腹片唇鮈

21. 多鳞白甲鱼 *Onychostoma macrolepis*（Bleeker）

分类 鲤科 Cyprinidae 白甲鱼属 *Onychostoma*

形态特征 体较细长，侧扁。背部稍隆起，腹部圆。头稍长。吻钝；吻皮下包盖住上颌边缘，仅露口角处上唇。口下位，横裂，口裂较宽。下颌裸露，具锐利的角质前缘。鳃盖膜在前鳃盖骨后缘的下方连于峡部。

鳞片中等大，胸部鳞片稍小，埋于皮下，腹鳍基外侧具一狭长的腋鳞。侧线完全，自鳃孔上角入后稍下弯。吻端多有珠星。

背鳍外缘微内凹，末根不分枝鳍条柔软。尾鳍叉形。

分布与习性 暖温性淡水鱼类。生活在海拔 270 ～ 1 500 m、水质清澈、砂石底质的高山溪流中。杂食性，主要摄食体壁较薄的水生昆虫等无脊椎动物，也摄食藻类。

标本采集地 白龙江。

多鳞白甲鱼

22. 重口裂腹鱼 *Schizothorax davidi*（Sauvage）

分类 鲤科 Cyprinidae 裂腹鱼属 *Schizothorax*

形态特征 体延长，稍侧扁，体背隆起，腹部圆。头锥形。吻稍钝。口下位，下颌内侧角质较发达，但不形成锐利角质前缘。须2对，等长或口角须稍长，其长度均大于眼径；上颌须末端后伸达或超过口角须之基部起点，位于眼前缘之垂直下方，口角须末端后伸达或超过眼后缘之垂直下方。眼中等大，侧上位；眼间隔宽，圆凸或稍圆凸。

鳞细小，排列不整齐；自鳃峡后至胸腹部具有明显鳞片。侧线完全，近直形。

背鳍末根不分枝条稍弱，较柔软，其后缘每侧具8～20枚细小锯齿，背鳍起点至吻端之距离稍大于或等于其至尾基部之距离。尾鳍叉形，上、下叶约等长，末端稍钝。

分布与习性 冷水性鱼类，平时多生活于缓流处，摄食季节在底质为沙和砾石的河床中，以动物性食物为主。产卵于水流较急的砾石河流中；在生殖期，雄鱼头部出现白色珠星。

标本采集地 白龙江。

重口裂腹鱼

23. 齐口裂腹鱼 *Schizothorax prenanti*（Tchang）

分类 鲤科 Cyprinidae 裂腹鱼属 *Schizothorax*

形态特征 体长形而侧扁，腹部圆。眼侧上位，距吻端较距鳃盖后缘为近。吻钝圆。口下位，横列，下颌前缘有锐利的角质及厚唇。须2对，约等长或颌须稍长，其长度约等于眼径，颌须末端到达眼球中部的下方。鼻孔近于眼。鳃孔宽大。

体被鳞，侧线前部略向下弯成弧状，向后略低于体中轴。

背鳍起点稍前于腹鳍的起点。尾鳍深叉形。

体背部暗青灰色，腹部白色，背侧常杂有黑色小斑点。背鳍、胸鳍和腹鳍均为青灰色，尾鳍为红色。

分布与习性 底层鱼类，要求较低的水温环境，喜欢生活于急缓流交界处。以着生藻类为食，偶尔也食一些水生昆虫、螺蛳和植物的种子。卵多产于急流底部的砾石和细沙上。

标本采集地 白龙江。

齐口裂腹鱼

24. 中华裂腹鱼 *Schizothorax sinensis* Herzenstein

分类 鲤科 Cyprinidae 裂腹鱼属 *Schizothorax*

形态特征 体延长，稍侧扁，背部隆起。头锥形，吻略钝，口下位，下颌具锐利的角质前缘。下唇略呈新月形，表面有乳突。须2对，较长，前须末端达到眼球中部的下方，后须末端达到眼球后缘下方或延至前鳃盖骨。

体被细鳞，排列不整齐，自峡部后至胸腹部具明显鳞片。侧线完全，近直形，或在胸鳍起点之后上方略下弯，后伸入尾柄之正中。

背鳍末根不分枝条较弱，其后缘具细小锯齿或仅有齿痕。背鳍起点至吻端之距离大于或等于其至尾鳍基部之距离。尾鳍叉形，上、下叶末端钝。

体背部暗灰色或青灰色，腹侧银白色，背鳍、腹鳍皆为青灰色。尾鳍红色。

分布与习性 冷水性底层鱼类。喜聚集成群，栖息于缓流处的石穴内。水质清澈时，常活动在底质为砾石的急流环境中，以下颌的角质缘在石块上刮食。食物以硅藻为主，也食昆虫的水生幼虫。

标本采集地 白龙江。

中华裂腹鱼

25. 黄河裸裂尻鱼 *Schizopygopsis pylzovi* （Kessler）

分类 鲤科 Cyprinidae 裸裂尻鱼属 *Schizopygopsis*

形态特征 体侧扁而形长。头钝锥形。吻钝圆，吻皮稍厚。口弧形，下位。下颌前缘具锋利角质。无须。

体裸露无鳞。侧线完全。

体背青灰色，腹部灰黄色，背部密布浅褐色小斑点；胸鳍、腹鳍、臀鳍青灰色，略带红色；背鳍和尾鳍青灰色，尾鳍具蓝灰色边缘。

分布与习性 越冬时潜伏于河岸洞穴或岩石缝隙之中，喜清澈冷水。常分布于海拔 2000 ～ 4500 m 处。以摄食植物性食物为主，常以下颌发达的角质边缘在沙砾表面或泥底刮取着生藻类和水底植物碎屑，兼食部分水生维管束植物叶片和水生昆虫。

标本采集地 黄河干流。

黄河裸裂尻鱼

26. 嘉陵裸裂尻鱼 *Schizopygopsis kialingensis* Tsao & Tun

分类 鲤科 Cyprinidae 裸裂尻鱼属 *Schizopygopsis*

形态特征 体延长，稍侧扁；头锥状，吻钝圆。口亚下位或下位，呈深弧形；下颌具有不甚发达的角质，边缘细狭而锐利，平直向前。唇狭窄，下唇分左右两唇叶。无须。

除臀鳞外，身体几乎裸露无鳞，仅在肩胛部有 3 ～ 4 行不规则鳞片。臀鳞每侧 16 ～ 25 枚，前端发达，到腹鳍基部或接近或中断。侧线鳞较平直，完全。

背鳍最后不分枝条细弱，仅基部 1/3 硬。尾鳍叉形。

背部灰褐色，体侧浅褐，分布细小黑点，腹部银白色；背鳍青灰，胸鳍、腹鳍橘黄色，尾鳍淡黄色。

分布与习性 栖息于高原山溪支流岸边浅水处。以底栖无脊椎动物为主要食物，偶食着生藻类。繁殖期雄体有白色细粒状的珠星，身体色彩更加鲜艳，为灰褐色。

标本采集地 黄河干流、白龙江。

嘉陵裸裂尻鱼

27. 骨唇黄河鱼 *Chuanchia labiosa* Herzenstein

分类 鲤科 Cyprinidae 黄河鱼属 *Chuanchia*

形态特征 体延长，稍侧扁。头锥形，吻突出。口下位，横裂。下颌长显著小于眼径，前缘有发达的角质，但较钝，向上倾斜呈截形。无须。

体几乎完全裸露无鳞，仅在肩带部分有 2 ～ 4 行不规则鳞片。臀鳞发达，每侧 18 ～ 24 枚，行列前端达腹鳍基部。

背鳍最后不分枝鳍条强硬，后缘每边有 20 余枚深刻锯齿，但末端光滑。背鳍起点距吻端显著近于至尾鳍基部。尾叉形。

身体背侧灰褐色或青灰色，腹侧银白色，体侧杂有黑色点状或环状斑纹，鳍浅灰色。

分布与习性 栖息于海拔 3 000 ～ 4 300 m 的宽谷河段和湖泊中。常见于缓静清凉淡水水域的上层。夏季午后常跃出水面摄食落水的陆生昆虫，冬季在深水处越冬。主要以着生硅藻和昆虫为食。卵黄色，黏性。

标本采集地 黄河干流。

骨唇黄河鱼

28. 鲤 *Cyptinus Carpio* Linnaeus

分类 鲤科 Cyprinidae 鲤属 *Cyprinus*

形态特征 体纺锤形，略侧扁。头较小，吻钝。眼侧上位。口亚下位，深弧形。须 2 对，颌须长于吻须。

鳞较大，圆鳞，侧线完全，前部稍呈弧形，后部平直。

背鳍起点在腹鳍之前，最后一枚硬刺后缘呈锯齿状。尾鳍叉形，上、下叶较圆。

体背部灰黑色或黄褐色，体侧带金黄色，腹部银白色或浅灰色。尾鳍下叶红色，偶鳍淡红色，背鳍和尾鳍基微黑色，体侧鳞片后部有新月形黑斑。

分布与习性　底栖性鱼类，喜在水体下层活动。主要以摇蚊幼虫和水丝蚓为食，也食昆虫幼虫、虾、螺、浮游生物、植物碎屑、草籽等，为典型的杂食性鱼类。对水域生态环境和繁殖条件有很强的适应性。产黏性卵。

标本采集地　黄河干流、白龙江。

鲤

29. 鲫 *Carassius auratus*（Linnaeus）

分类　鲤科 Cyprinidae　鲫属 *Carassius*

形态特征　体较高，稍侧扁，腹部圆。头较小，头长小于体高。吻短，圆钝。口小，端位，呈弧形。无须。眼中等大，侧上位。

鳞中等大，圆鳞。侧线完全且平直，位于体中央。

背鳍起点距吻端较距尾鳍基部为近，第三根假硬刺后缘呈锯齿状。尾鳍浅叉形，上、下叶末端圆钝。

体背部灰黑色，体侧银灰色或带黄绿色，腹部白色，各鳍为灰白色。

分布与习性　生活于水体中下层的鱼类。杂食性，主要以植物碎屑、浮游生物为食。产黏性卵。对环境的适应力非常强，耐盐碱。

标本采集地　黄河干流、白龙江。

鲫

30. 泥鳅 *Misgurnus anguillicaudatus*（Cantor）

分类 鳅科 Cobitidae 泥鳅属 *Misgurnus*

形态特征 体延长，略呈圆柱状。头小。吻尖。眼小，侧上位。口下位，马蹄形。须5对，口角须后伸可达前鳃盖骨。尾柄皮褶棱发达。

体披细鳞。侧线不完全，末端超过胸鳍末端上方，纵列鳞130 ～ 165。

背鳍无硬刺，起点位于腹鳍起点稍前上方。尾鳍圆形。

体色变异较大，与生活环境有关。一般背部色深，腹部色浅，体上散布小斑点或无。尾鳍基后上侧具一黑斑；背鳍和尾鳍具不规则的小斑点。

分布与习性 栖息于静水水体的底层，常见于湖汊、池塘、水沟、稻田等浅小水体。除用鳃呼吸外，还可进行肠呼吸，对水中缺氧忍耐力强。有钻泥的习性。食性杂，主要摄食小型甲壳动物、昆虫幼虫、水蚯蚓；有时也食小虾和小蚬、螺，也摄食着生藻类和植物碎屑。卵黏性，黏附于水草上发育。

标本采集地 黄河干流、白龙江。

泥鳅

31. 大鳞副泥鳅 *Paramisgurnus dabryanus* Sauvage

分类 鳅科 Cobitidae 副泥鳅属 *Paramisgurnus*

形态特征 体略呈圆柱状，较短、较高，稍侧扁。头短，头长小于体高。吻较尖。眼小，侧上位。口下位，马蹄形。须 5 对，较长，口角须后伸达前鳃盖骨后缘。尾柄皮褶棱非常发达。

鳞较大，埋于皮下。侧线鳞 122 ～ 132。

背鳍起点约在前鳃盖骨至尾鳍基部距离的中点。尾鳍圆形。

体背灰褐色，腹部浅黄色，全身散布不规则的黑色小斑点，背鳍和尾鳍具黑色斑点。

分布与习性 底栖小型鱼类，多栖息于富含有机质的泥底浅水水域，适应性强。杂食性，以植物碎屑、小型甲壳动物和昆虫幼虫为食。

标本采集地 黄河干流、白龙江。

大鳞副泥鳅

32. 北方花鳅 *Cobitis granoei* Rendahl

分类 鳅科 Cobitidae 花鳅属 *Cobitis*

形态特征 体细长，侧扁，体长为体高的 8.3 ～ 9.0 倍，为头长的 4.6 ～ 5.8 倍。口下位，马蹄形。须 3 对。眼小，位于头侧上方。眼下缘前方有一尖端向后的分叉的眼下刺。眼间距狭窄，眼径大于眼间距。前后鼻孔靠近，前鼻孔呈管状。鳃孔小，开口于胸鳍基部。

鳞细小，侧线鳞不完全。

背鳍起点位于腹鳍起点稍前上方。尾鳍截形。

背部具 13 ～ 17 个矩形花斑，体侧有 1 列 13 ～ 18 个褐色斑点。头部及体上侧有蠕虫形花纹或不规则斑点。背鳍和尾鳍上有 3 ～ 4 列灰褐色斑条。

分布与习性 江河、湖泊、水库等沿岸缓流或静水浅水区底栖小鱼。以底栖动物为主食的杂食性鱼类，也食藻类和植物碎屑以及枝角类、桡足类等浮游动物。

标本采集地 黄河干流。

北方花鳅

33. 红尾副鳅 *Homatula variegatus*（Sauvage & Dabry）

分类 鳅科 Cobitidae 副鳅属 *Homatula*

形态特征 体延长，前段呈圆形，尾柄侧扁，体长为体高的 7.8 ～ 8.8 倍，为头长的 4.7 ～ 5.6 倍。头较平。吻尖。眼小，偏侧上位。口下位。唇面光滑或有较细褶皱。上颌中部有一突起，下颌匙状。具须 3 对，均较短。鳃孔小。尾柄的上、下缘有发达的皮褶棱。

体被有小细鳞，前躯稀疏，胸腹部裸露。侧线完全。

背鳍较小，背缘呈圆弧形，胸鳍、腹鳍短小，臀鳍小，尾鳍圆形，中央微凹入，上叶稍长。

身体背部浅褐色，体侧黄褐色，有 15 ～ 17 条深褐色条纹，在身体后段的较前段的条纹更明显，腹面浅黄色，尾鳍鲜红色，其他各鳍浅黄色。

分布与习性 底栖性鱼类，喜集群，常生活在山区溪流和水质清澈、无污染、有砂、石砾或植物丛间的河流中，以底栖水生无脊椎动物寡毛类摇蚊幼虫为主要食物，兼食小鱼。

标本采集地 白龙江。

红尾副鳅

34. 岷县高原鳅 *Triplophysa minxianensis*（Wang & Zhu）

分类 鳅科 Cobitidae 高原鳅属 *Triplophysa*

形态特征 体延长，身体前部呈圆筒形，至尾鳍基部方向侧扁。头尖，稍平扁，头宽大于头高。吻长等于或稍短于眼后头长。鼻孔近眼前缘。眼小，侧上位。口下位，弧形。下颌匙状，边缘露出。具颌须 1 对，吻须 2 对，外吻须和颌须分别后伸达鼻孔和眼中心的下方，内吻须较短。

身体被有明显的小鳞，但前躯鳞片较后躯稀疏。侧线完全。

背鳍游离缘微凹或平截，背鳍约在体长的中点。胸鳍较长。尾鳍后缘深凹，下叶稍长。

体背部浅褐色，在背鳍前、后各有 5 ～ 8 条深褐色斑条。体侧有不规则的褐色条纹，并有很多小斑块和点。背鳍有 2 列斑点，尾鳍有 3 ～ 5 列，腹鳍、臀鳍浅黄色或灰白色。

分布与习性 生活于缓流、静水水体，喜群居，食性以动物性食物为主。

标本采集地 黄河干流。

岷县高原鳅

35. 粗壮高原鳅 *Triplophysa robusta*（Kessler）

分类　鳅科 Cobitidae　高原鳅属 *Triplophysa*

形态特征　体延长，粗状，前躯圆柱状，尾柄侧扁而长。头稍平扁，头宽大于头高。吻长等于或稍长于眼后头长。眼较小，侧上位，眼间隔弧形。前后鼻孔相邻。口下位，唇面光滑或有皱褶。上颌正常，下颌边缘露出。须 3 对，口角须末端伸达眼后缘或稍超过。

体大部裸露无鳞，仅在尾柄具有稀疏鳞片，个别个体则全裸露无鳞。侧线完全。

背鳍位于体长中部或稍靠近尾部。尾鳍后缘深内凹，上、下叶等长。

体背青灰色，腹部浅黄色，背部具 7 ～ 9 个深褐色横斑。体侧和头侧或有不规则的深褐色斑纹，背鳍常有 1 列褐色斑点，尾鳍具不规则的深褐色带纹或缺如。尾鳍基部上下端各具 1 个黄斑。

分布与习性　生活于江河沙砾底质、多水草的浅滩流水处。

标本采集地　黄河干流、白龙江。

粗壮高原鳅

36. 黄河高原鳅 *Triplophysa pappenheimi*（P. W. Fang）

分类　鳅科 Cobitidae　高原鳅属 *Triplophysa*

形态特征　体延长，头较平扁，躯干略呈圆筒形，尾柄略侧扁。头顶光滑，略有凹陷。吻扁平，眼侧上位。口下位，弧形。唇肉质，上、下唇边缘有细褶皱。上、下颌正常。须 3 对，外吻须达鼻前缘或超过，颌须达眼球中部或超过。

体裸露无鳞，但有明显的粒状或龙骨状小粒，在体背侧和鳃盖部较常见。侧线完全而平直。

背鳍起点稍后于体中点，背鳍刺基部稍硬，鳍后缘微凹。尾鳍深凹状，上、下叶等长。

体背侧呈橙黄色，背鳍前后各有 4 个、3 个明显褐色横斑，腹部银白色。背鳍、尾鳍有 3 条褐色斑纹。

分布与习性 栖息于高原河流或外泄湖泊的岸边石隙间，以端足类钩虾为主要食物，其次为水生昆虫。卵粒小而圆，色黄。

标本采集地 黄河干流。

黄河高原鳅

37. 拟鲇高原鳅 *Triplophysa siluroides*（Herzenstein）

分类 鳅科 Cobitidae 高原鳅属 *Triplophysa*

形态特征 体延长，头部和躯干宽阔而扁平，尾柄细圆，末端略扁。头大扁平。眼小，侧上位。鼻孔稍近眼前，前后鼻孔紧邻，前鼻孔呈短管状。口大、下位、弧形。须 3 对，吻须达眼前，颌须达到或超过眼后缘。下颌匙状。

体裸露无鳞。侧线完全而直。

背鳍末根不分枝鳍条稍硬，上半部软。尾鳍凹陷，上叶稍长于下叶。

体背侧棕褐色，背部具较宽的暗褐色横斑或具虫状斑纹，侧部为零乱的棕色斑块，腹部银白色。背鳍、尾鳍具数条暗色条纹。

分布与习性 喜栖息于河汊或湖泊入口缓流处。游泳迟缓，常潜伏于底层，以小型无脊椎动物或鱼类为主要食物，兼食植物碎屑。

标本采集地 黄河干流。

拟鲇高原鳅

38. 拟硬刺高原鳅 *Triplophysa pseudoscleroptera*（S. Q. Zhu & Y. F. Wu）

分类 鳅科 Cobitidae 高原鳅属 *Triplophysa*

形态特征 体延长，身体前部略呈圆筒形，后部侧扁。吻宽厚，约与眼后头长等长。口下位，下唇较薄，表面有皱褶，下颌匙状。须 3 对，外吻须末端达鼻孔或眼前缘之间，颌须末端达眼球中部或眼后缘。

身体光滑无鳞，个别个体皮肤上有颗粒状突起。侧线完全。

背鳍最后不分枝鳍条下部 2/3 变硬。尾鳍后缘凹入，上叶稍长于下叶。

体色浅黄，背部常有不规则的褐色横斑，背鳍前后各有 4 ～ 6 条，体侧有很多不规则的褐色条纹，沿侧线常有一列（5 ～ 10 个）深褐色斑块，背鳍、尾鳍有很多褐色斑点。

分布与习性 生活于河流、湖泊缓流及静水水体的岸边浅水处。

标本采集地 白龙江。

拟硬刺高原鳅

39. 勃氏高原鳅 *Triplophysa bleekeri*（Sauvage & Dabry）

分类 鳅科 Cobitidae 高原鳅属 *Triplophysa*

形态特征 体延长，身体前部略粗圆，尾柄处侧扁。头钝圆，口下位，弧形。唇具细皱纹。下颌匙状。眼较大，侧上位。眼间距较眼径稍宽。须 3 对，外吻须达鼻孔，颌须达眼球中部下方。

体裸露无鳞，侧线完全而平直。

背鳍起点位于身体中央前后，背缘平截，鳍呈三角形。尾鳍深凹或呈叉形。

身体呈淡黄色，带有明显的黑褐色横斑带，背鳍前后各有 3 条和 4 条，横斑带由背部向两侧延伸至侧线以下，亦有至腹部者。侧线为一纵长不均匀的褐色条纹所贯穿，由鳃盖后直达尾鳍基部。背鳍和尾鳍各有数行小黑点，尾鳍有 3 条呈“人”字形排列。

分布与习性 常见于急流河水岸边。以摇蚊幼虫、毛翅目幼虫和硅藻为主要食物。

标本采集地 白龙江。

勃氏高原鳅

40. 斯氏高原鳅 *Triplophysa stoliczkae*（Steindachner）

分类 鳅科 Cobitidae 高原鳅属 *Triplophysa*

形态特征 体延长，身体前部呈圆筒形，后部略侧扁。头稍平扁，吻钝。口下位。上唇缘呈流苏状，下唇薄而后移，边缘光滑，后部有短乳头状突起或皱褶。下颌宽平，边缘薄而锐利，上下颌均外露。须 3 对，其中吻须 2 对，外吻须伸达鼻后孔之下，颌须

1 对，伸达眼后缘之下或超过。

身体光滑无鳞，侧线完全。

背鳍起点约位于身体中点。尾鳍微凹或凹入，下叶稍长。

体色浅褐、腹部灰白。背鳍前、后各有 3 ～ 4 块深褐色鞍斑，体侧具明显或不明显的褐色斑纹，背鳍、尾鳍有 2 行或 3 行黑褐色条纹。

分布与习性 栖息于河流和湖泊岸边浅水的石砾间隙，常以硅藻、绿藻及植物碎屑和摇蚊幼虫、毛翅目幼虫为主要食物。每年 5—7 月为繁殖旺季。

标本采集地 黄河干流。

斯氏高原鳅

鲇形目 Siluriformes

41. 鲇 *Silurus asotus* Linnaeus

分类 鲇科 Siluridae 鲇属 *Silurus*

形态特征 体延长，前部平扁，后部侧扁，体长为体高的 7.0 倍。头中大，宽大于头高。口大，亚上位，口裂呈浅弧形，伸达眼前缘垂直下方。下颌突出于上颌。上、下颌具绒毛状细齿，形成弧形宽齿带。眼小，侧上位。前后鼻孔相距较远，前鼻孔短管状，后鼻孔圆形。颌须较长，后伸达胸鳍末端；颏须短。鳃孔大。

体裸露无鳞。侧线完全。

背鳍很短小，无硬刺。胸鳍棘前缘有明显的锯齿。臂鳍很长。尾鳍上、下叶等长，微凹。

体背部为黄褐色或灰绿色，体侧色浅，具不规则云斑块，腹部灰白色，各鳍均为灰色。

分布与习性 生活于江河缓流处或湖泊、水库多水草泥质底层。肉食性，幼鱼以小虾、昆虫幼虫为食，成鱼多以鱼为食。白天潜伏，夜间觅食。繁殖期 5—7 月，卵黏性，绿色。

标本采集地 黄河干流、白龙江。

鲇

42. 兰州鲇 *Silurus lanzhouensis* Chen

分类 鲇科 Siluridae 鲇属 *Silurus*

形态特征 体自腹后侧扁。头部平扁。口上位，下颌长于上颌；口裂大，末端达眼前缘下方。下唇正中有一丘状突起。上、下颌具绒毛状弧形齿带，犁骨齿带不连续，分为左、右两团。须 2 对，上颌须末端超过胸鳍末端，下颌须不达鳃膜外缘。前后鼻孔分离。

体裸露无鳞。侧线完全。

背鳍很短小，无硬刺。胸鳍硬刺前缘粗糙或具弱锯齿。臀鳍很长，基部与尾鳍基相连。尾鳍短小，截形。

体背侧灰褐色或灰绿色，腹部淡白，体侧常有不规则花纹。

分布与习性　肉食性鱼类，常栖息于河流缓流处或静水中下层，多在黄昏和夜间活动。5—6 月繁殖，卵色为黄色。

标本采集地　黄河干流。

兰州鲇

43. 切尾拟鲿 *Pseudobagrus truncatus*（Regan）

分类　鲿科 Bagridae　拟鲿属 *Pseudobagrus*

形态特征　体延长，前部略纵扁，后部侧扁。头较窄。体长为头宽的 5 倍以上。眼小，被以皮膜。前、后鼻孔相隔较远。须 4 对；鼻须及上颌须 1 对，颏须 2 对。鼻须末端超过眼后缘；颌须可达鳃盖膜。口亚下位，弧形。唇厚。上颌突出于下颌。上、下颌及腭骨具绒毛状齿。鳃孔宽大。鳃盖膜不与鳃峡相连。鳃耙细小。

背鳍硬刺短，前、后缘均光滑。脂鳍低而长，基部长约等于臀鳍基长。臀鳍鳍条不少于 18。尾鳍近平截。

体背侧呈灰褐色，腹部灰黄色。体侧正中有数块不规则、不明显的暗斑。各鳍灰黑色。

分布与习性　生活于江河中的底层鱼类，以动物性饵料为主要食物，包括水生昆虫类、鱼类、虾类。

标本采集地　白龙江。

切尾拟鲿

44. 粗唇鮠（钝吻黄颡）*Leiocassis crassilabris*（Günther）

分类　鲿科 Bagridae　鮠属 *Leiocassis*

形态特征　体长形，后部侧扁。头中等大，头部腹面较平，头宽大于头高。吻短钝。口下位，横裂。须 4 对。鼻须紧位于后鼻孔之前，后伸不及眼后缘。颌须后伸不及鳃盖膜。外侧颏须伸达鳃盖膜联合处。内侧颏须短于外侧颏须。前、后鼻孔远离，前鼻孔略呈短管状，位于吻端腹侧；后鼻孔较接近眼前缘。眼侧上位，腹视不可见；眼后头长大于吻长。上、下颌及腭骨有齿带，齿呈细绒毛状。

背鳍起点与吻端的距离略大于与脂鳍起点的距离；背鳍硬刺后缘粗糙。脂鳍起点位于臀鳍起点的前上方，基长远大于臀鳍基。胸鳍硬刺前缘光滑，后缘具强锯齿。臀鳍外缘略凸。尾鳍分叉，末端钝圆。

分布与习性　生活于江河、湖泊的底层鱼类。个体不大。主要以寡毛类、小型软体动物、虾及小鱼为食。

标本采集地　白龙江。

粗唇鮠

45. 白缘鉠 *Liobagrus marginatus*（Günther）

分类 钝头鮠科 Amblycipitidae 鉠属 *Liobagrus*

形态特征 体长形，前部浑圆，后部侧扁。头部宽，头部向吻端逐渐纵扁，背面有一纵沟，两侧鼓起。颊部膨大，头宽大于体宽。吻短。口端位，口裂宽大。上、下颌等长，均具绒毛状齿带。前、后鼻孔分离；前鼻孔位于吻端，呈短管状，后鼻孔位于眼前缘，与鼻须基部相连，呈椭圆形。眼小，侧上位。眼间平直或稍内凹。须 4 对，均较发达，上颌须末端超过胸鳍基部，下颌须较短。鳃孔大。

体表光滑无鳞。

背鳍短小，前位，背鳍起点约位于吻端与腹鳍基部的中点；背鳍硬刺短而光滑，埋于皮内。胸鳍硬刺内缘近基部具 4 ～ 5 枚锯齿，外缘光滑，基部有毒腺。脂鳍基底长，与尾鳍相连，其间有一明显缺刻。尾鳍圆形。

体上侧为深灰褐色，腹部淡灰色。各鳍灰色，其外缘为白色，尤以尾鳍为著。

分布与习性 生活于多石流水溪河，底栖，以水生昆虫（蜉蝣等）幼虫为食。

标本采集地 白龙江。

白缘鉠

46. 中华纹胸鮡 *Glyptothorax sinensis*（Regan）

分类 鮡科 Sisordae 纹胸鮡属 *Glyptothorax*

形态特征 头扁平，体后部稍侧扁，背缘拱曲，腹部稍圆。前、后鼻孔接近，并近于吻端。眼小，上位。口下位，略宽，近弧形。上、下颌具齿带，密生尖圆形小齿。上颌齿带 1 块，下颌齿带 2 块。须 4 对。鼻须较短，末端不达眼前缘。上颌须后伸超过胸鳍基部。外侧颏须末端达胸鳍基部。鳃孔宽阔。胸部有吸着器，放射肋纹路较粗，约 20 条。

体无鳞，侧线完全。

背鳍硬刺光滑。背鳍起点在体前 1/3 处略前，至吻端与距脂鳍起点相等。胸鳍硬刺前缘光滑，后缘具发达锯齿。脂鳍短，后缘斜切，末端游离。臀鳍短。尾鳍凹形或近叉形。

体背、侧呈灰褐色，腹部浅黄。背鳍和脂鳍下方各有黑褐色斑块。背鳍起点处有半环状黄斑。各鳍均有黄色、暗褐色相间条纹。

分布与习性 常见生活于底质为砾石或沙质的流水水体中。以水生昆虫和底栖无脊椎动物为主要食物，怀卵量较大。为底栖小型鱼类。

标本采集地 白龙江。

（a）背面观

（b）腹面观

中华纹胸鮡

胡瓜鱼目 Osmeriformes

47. 池沼公鱼 *Hypomesus olidus*（Pallas）

分类 胡瓜鱼科 Osmeridae 公鱼属 *Hypomesus*

形态特征 体长形，侧扁，吻尖。口前上位，口裂斜，口裂后缘达瞳孔之前。下颌略长于上颌。上颌骨宽而短，后端达眼中部或稍后的下方。上颌骨、前颌骨、犁骨、腭骨、中筛骨、齿骨及舌上均有齿。鳃盖条 6 ~ 8。

体被薄鳞。侧线不完全，侧线鳞 7 ~ 15。

体背部绿褐色，腹部银白色，背部鳞片边缘有灰色斑点。

分布与习性 喜栖于水较清澈、浮游动物较丰富的水域，为一年生小型鱼类，少数可存活到第二年。有淡水定居型和近海 - 河口洄游型，这两种类型可互相转换。淡水里产卵，产卵后绝大多数亲体死亡。杂食性。食谱比较广，食物从藻类、浮游动物、底栖动物、昆虫到鱼卵和仔鱼。一冬龄性成熟。

标本采集地 黄河干流。

池沼公鱼

鲑形目 Salmoniformes

48. 秦岭细鳞鲑 *Brachymystax lenok tsinlingensis* Li

分类 鲑科 Salmonoidea 细鳞鲑属 *Brachymystax*

形态特征 体长而侧扁。口亚下位，上颌略长于下颌，上颌骨后延达眼球中部。上、下颌和犁骨及腭骨均具齿。

鳞细小，侧线完全。

背鳍起点距吻端较距尾鳍基为近。腹鳍有较发达的腋鳞。

背部黑褐色，体侧黄褐色，腹部灰白色。体侧散布上、下长圆形斑点，最大斑点长径约与瞳孔直径相等。背鳍上有 4 ～ 5 列斑点，脂鳍上有 3 ～ 5 个外套灰色圆圈的黑色斑点。小个体体侧有 10 ～ 12 条垂直横斑纹。不同年龄和不同栖息地，其体色变化较大。生殖期体色变暗，体侧出现红色斑点。

分布与习性 栖息于水清澈的江河溪流的冷水性鱼类，适温 0 ～ 12℃，栖息的上限水温为 15℃。动物食性。4 ～ 5 龄性成熟，2—3 月在浅水多砂石处产卵。

标本采集地 渭河支流。

秦岭细鳞鲑

鲈形目 Perciformes

49. 小黄黝鱼 *Micropercops swinhoniss*（Günther）

分类 塘鳢科 Eleotridae 黄黝属 *Hypseleotris*

形态特征 体延长，侧扁，背缘呈浅弧形，尾柄较长。头大，吻短钝。眼大，上侧位。口大，上位。下颌略长于上颌。上、下颌具多行细齿。犁骨与腭骨均无齿。舌游离，前端截形。鳃盖膜与峡部相连。鳃耙短而侧扁，近三角形。

体被栉鳞，头部除吻和眼间隔无鳞、主鳃盖骨被小栉鳞外，均被小圆鳞。无侧线。

背鳍 2 个，分离，第一背鳍平放可超过第二背鳍起点。胸鳍宽大，左、右腹鳍靠近，但不愈合。尾鳍圆形。

体浅黄褐色，背部较深，腹部浅黄色。体侧有 10 ~ 12 条深暗色横带，排列成对。眼前至口角有一暗色斑。第一背鳍下方鳍膜色暗，第二背鳍有斑纹 2 ~ 3 行，尾鳍有斑纹 5 ~ 6 行。臀鳍灰暗。胸鳍和腹鳍灰白色。

分布与习性 生活于淡水江河湖库小水体的小鱼，底栖性，喜栖于多水草的浅水中。以水生昆虫、枝角类、桡足类、藻类为食。繁殖期 5—6 月。

标本采集地 黄河干流。

小黄黝鱼

50. 子陵吻鰕虎鱼 *Rhinogobius giurinus* Rutter

分类 鰕虎鱼科 Gobiidae 吻鰕虎鱼属 *Rhinogobius*

形态特征 体延长，前部亚圆筒形，后部侧扁。头部略平扁，颊肌发达。眼小，上侧位，上缘突出于头顶背缘。眼间隔窄，中央微凹。吻较长，吻端圆钝。口中等大，端位，斜裂。颌齿细小，上颌前端齿 4 行，两侧 3 行。舌宽，游离，前端圆形。

体被弱栉鳞，头后背面被圆鳞，颊部、鳃盖及胸、腹部均无鳞。无侧线。

背鳍 2 个，分离，其间隔约等于眼径；臀鳍与第二背鳍同形；胸鳍发达，呈圆扇形；腹鳍愈合，呈长圆形吸盘；尾鳍圆形。

腹膜背侧灰黑色，腹面灰白色。

体灰褐色，体背部及体侧具 7 ~ 8 个黑色斑块。头部具褐色云状纹及斑点，颊部及鳃盖具 4 ~ 6 条斜向前下方的褐色条纹。胸鳍基底上端具一黑斑。

分布与习性 底栖性鱼类，喜栖息于水清、底质为泥沙的浅水区域。以水生昆虫、小鱼、小虾为食。生殖期 5—6 月。

标本采集地 黄河干流、白龙江。

子陵吻鰕虎鱼

References
参考文献

毕列爵，胡征宇，2004．中国淡水藻志第八卷绿藻门绿球藻目（上）[M]．北京：科学出版社.

陈景星，1981. 中国花鳅亚科鱼类系统分类的研究 [C]// 中国鱼类学会 . 鱼类学论文集（第一辑）. 北京：科学出版社：21-31.

陈宜瑜，1998. 中国鱼类志· 硬骨鱼纲· 鲤形目：中卷 [M]. 北京：科学出版社 .

福迪，1980. 藻类学 [M]．罗迪安，译 . 上海：上海科技出版社.

韩茂森，束蕴芳，1995．中国淡水生物图谱 [M]．北京：海洋出版社.

胡鸿钧，2015．中国淡水藻志第二十卷绿藻门绿藻纲团藻目（Ⅱ）衣藻属 [M]．北京：科学出版社.

胡鸿钧，魏印心，2006．中国淡水藻类：系统、分类及生态 [M]．北京：科学出版社.

蒋燮治，堵南山，1979．中国动物志节肢动物门甲壳纲淡水枝角类 [M]．北京：科学出版社.

李家英，齐雨藻，2004．中国淡水藻志第十卷硅藻门羽纹纲 [M]．北京：科学出版社.

李家英，齐雨藻，2010．中国淡水藻志第十四卷硅藻门舟形藻科（Ⅰ）[M]．北京：科学出版社.

李家英，齐雨藻，2018．中国淡水藻志第二十三卷硅藻门舟形藻科（III）[M]．北京：科学出版社 .

李思忠，2017. 黄河鱼类志 [M]. 青岛：中国海洋大学出版社 .

刘蝉馨，秦克静，1987. 辽宁动物志（鱼类）[M]. 沈阳：辽宁科学技术出版社 .

陕西省水产研究所，陕西师范大学生物系，1992. 陕西鱼类志 [M]. 西安：陕西科学技术出版社 .

沈嘉瑞，1979. 中国动物志节肢动物门甲壳纲淡水桡足类 [M]．北京：科学出版社.

沈韫芬，1999．原生动物学 [M]．北京：科学出版社.

施之新，2004．中国淡水藻志第十二卷硅藻门异极藻科 [M]．北京：科学出版社.

施之新，2013．中国淡水藻志第十六卷硅藻门桥弯藻科 [M]．北京：科学出版社.

王家楫，1961．中国淡水轮虫志 [M]．北京：科学出版社.

王全喜，2018．中国淡水藻志第二十二卷硅藻门管壳缝目 [M]．北京：科学出版社.

王香亭，1991. 甘肃脊椎动物志 [M]. 兰州：甘肃科学技术出版社 .

武云飞，吴翠珍，1991. 青藏高原鱼类 [M]. 成都：四川科学技术出版社 .

解玉浩，李文宽，解涵，2007. 东北地区淡水鱼类 [M]. 沈阳：辽宁科学技术出版社 .

徐宗学，2017．济南市水域常见水生生物图谱 [M]．北京：中国水利水电出版社.

杨苏文，2015．滇池、洱海浮游动植物环境图谱 [M]．北京：科学出版社.

虞功亮，宋立荣，李仁辉，2007．中国淡水微囊藻属常见种类的分类学讨论——以滇池为例 [J]. 植物分类学报，45（5）:727-741.

乐佩琦，2000. 中国鱼类志· 硬骨鱼纲· 鲤形目：下卷 [M]. 北京：科学出版社 .

张觉民，何志辉，1991．内陆水域渔业自然资源调查手册 [M]．北京：农业出版社.

张琪，宋立荣，2018．巢湖浮游植物图谱 [M]．北京：中国环境出版集团.

张勤，李贺密，孙成渤，2017. 天津地区浮游生物彩色图谱 [M]. 北京：中国农业出版社 .

张清靖，刘青，2022. 北京密云水库浮游生物图鉴 [M]. 北京：科学出版社 .

张远，丁森，高欣，等，2020. 辽河流域常见水生生物图谱 [M]. 北京：科学出版社 .

赵文，2005．水生生物学 [M]．北京：中国农业出版社.

周凤霞，陈剑虹，2011．淡水微型生物与底栖动物图谱 [M]．北京：化学工业出版社.

朱浩然，1991．中国淡水藻志第二卷色球藻纲 [M]．北京：科学出版社.

朱浩然，2007．中国淡水藻志第九卷蓝藻门藻殖段纲 [M]．北京：科学出版社.